SOBRE A
IRA

CamelotEditora

SÊNECA

SOBRE A
IRA

CONHEÇA NOSSO LIVROS
ACESSANDO AQUI!

Copyright desta tradução © IBC - Instituto Brasileiro De Cultura, 2023

Título original: Of Anger
Reservados todos os direitos desta tradução e produção, pela lei 9.610 de 19.2.1998.

2ª Impressão 2023

Presidente: Paulo Roberto Houch
MTB 0083982/SP

Coordenação Editorial: Priscilla Sipans
Coordenação de Arte: Rubens Martim (capa)
Tradução: Júlia Fiuza
Preparação de texto e notas: Claudio Blanc
Revisão: Rogério Coelho
Diagramação: Jorge Toth

Vendas: Tel.: (11) 3393-7727 (comercial2@editoraonline.com.br)

Foi feito o depósito legal.

Dados Internacionais de Catalogação na Publicação (CIP)
(eDOC BRASIL, Belo Horizonte/MG)

S475s Seneca.
       Sobre a ira / Sêneca. – Barueri, SP: Camelot, 2021.
       15,5 x 23 cm

       ISBN 978-65-87817-59-0

       1. Filosofia antiga. 2. Ética. 3. Conduta. I. Título.
                                                    CDD 188

Elaborado por Maurício Amormino Júnior – CRB6/2422

IBC — Instituto Brasileiro de Cultura LTDA
CNPJ 04.207.648/0001-94
Avenida Juruá, 762 — Alphaville Industrial
CEP. 06455-010 — Barueri/SP
www.editoraonline.com.br

O melhor plano é rejeitar imediatamente os primeiros incentivos à raiva, resistir ao seu início e tomar cuidado para não ser traído por ela.

LIVRO I

1 Você exigiu de mim, Novato[1], que eu escrevesse sobre como a raiva pode ser aplacada, e me parece que você tem razão em sentir um medo especial desta paixão, que é, acima de todas as outras, hedionda e selvagem. As outras têm algum grau de paz e sossego, mas a raiva consiste totalmente em ação e no impulso do luto, enfurecido por uma ânsia desumana por combates, sangue e torturas. Indiferente a si mesmo, desde que machuque outra pessoa, avança na própria ponta da espada, e deseja vingança mesmo quando arrasta consigo o vingador à ruína. Em consequência disso, alguns dos homens mais sábios chamam essa ira de breve loucura: pois é igualmente destituída de autocontrole, independentemente do decoro, esquecida do parentesco, obstinadamente absorta em tudo o que começa a fazer, incapaz de ouvir a razão e o conselho, excitada por causas insignificantes, inábil em perceber o que é verdadeiro e justo, e muito parecida com uma rocha ao cair, que se despedaça sobre aquilo que esmaga. Para que se comprove que aqueles que estão sob a ira não estão sãos, apenas olhe para

---

[1] Aneu Novato, irmão de Sêneca.

suas aparências, pois, como existem sintomas distintos que marcam os loucos, como um ar ousado e ameaçador, um aspecto sombrio, um rosto severo, um andar apressado, mãos inquietas, cor alterada, respiração rápida e suspiros afervorados, assim também são os sinais dos homens que se enraivecem: seus olhos brilham e cintilam, todo o seu rosto se cobre de um vermelho intenso como o sangue que ferve do fundo do coração, seus lábios tremem, seus dentes estão travados, seus pelos eriçados, sua respiração é difícil e sibilante, suas juntas estalam conforme são torcidas, eles gemem, berram e se irrompem em uma conversa pouco clara, muitas vezes batem palmas e batem no chão com os pés, e seus corpos estão deveras tensos, enquanto lançam mão de "truques" que marcam uma mente perturbada, de modo que fornecem uma imagem feia e chocante da própria perversão e excitação. É difícil dizer se esse vício é mais abominável ou mais repulsivo. Outros vícios podem ser ocultados e acalentados em segredo, mas a raiva se mostra abertamente e aparece no semblante, e quanto maior é, mais claramente é efervescida. Você não vê como, em todos os animais, certos sinais aparecem antes que eles procedam ao seu ataque, e como seus corpos inteiros mudam seu semblante habitual de aparência tranquila e estimulam sua ferocidade? Os javalis espumam pela boca e afiam os dentes esfregando-os contra as árvores, os touros jogam os chifres para o alto e espalham a areia com golpes de pés, os leões rugem, os pescoços das cobras enfurecidas incham, os cães loucos têm uma aparência taciturna. Ali, nenhum animal é tão odioso e venenoso por natureza que não demonstre, quando tomado pela raiva, ferocidade adicional. Sei bem que as outras paixões dificilmente podem ser ocultadas, e que a luxúria, o medo e a ousadia dão sinais de sua presença e podem ser descobertos de antemão, pois não há nenhuma paixão mais forte que não afete o semblante: qual então a diferença entre elas e a raiva? Ora, que as outras paixões são visíveis, mas essa é evidente.

2 Em seguida, se você escolher observar os resultados e os danos que ela causa, veremos que nenhuma praga custou mais caro à raça humana: você verá massacres e envenenamentos, acusações e contra-acusações, saques de cidades, ruína de povos inteiros, de pessoas, de príncipes vendidos como escravos em leilão, tochas aplicadas aos telhados e incêndios não apenas confinados dentro das muralhas da cidade, mas fazendo com que áreas inteiras do campo brilhassem com chamas hostis. Veja as fundações das cidades mais célebres, dificilmente discerníveis: elas foram arruinadas pela raiva. Veja desertos se estendendo por muitos quilômetros sem um habitante: eles foram desolados pela raiva. Veja todos os chefes que a tradição menciona como exemplos de má sorte; a raiva esfaqueou um deles em sua cama, abateu outro, embora estivesse protegido pelos sagrados direitos da hospitalidade, despedaçou outro na própria casa das leis e à vista do Fórum lotado, ordenou a um derramar seu próprio sangue ao parricídio perpetrado por seu filho, a outro para ter sua garganta real cortada pela mão de um escravo, a outro para esticar seus membros na cruz: e até agora estou falando apenas de casos individuais. E se você passasse da consideração daqueles homens contra quem irrompeu a raiva para ver assembleias inteiras cortadas pela espada, o povo massacrado pela soldadesca solta sobre ela, e nações inteiras condenadas à morte em uma ruína comum... por homens que se libertaram de nossa responsabilidade ou desprezaram nossa autoridade? Por que razão está o povo zangado com os gladiadores e tão injusto a ponto de se considerar injustiçado se não morrer com alegria? Ele se considera desprezado e, pelos olhares, gestos e excitação, passa de mero espectador a adversário. Tudo desse tipo não é raiva, mas a aparência de raiva, como a dos meninos que querem bater no chão quando caem sobre ele e que muitas vezes nem sabem por que estão com raiva, mas estão apenas irados sem motivo. Ou tendo recebido qualquer ferimento, mas não sem alguma aparência de lesão recebida, ou sem algum desejo de exigir uma penalidade por isso. Assim, eles são enganados pela semelhança de golpes e apaziguados pelas lágrimas fingidas daqueles que depreciam sua ira, e desse modo uma dor irreal é curada por uma vingança irreal.

[3] "Muitas vezes ficamos com raiva", diz nosso adversário, "não de homens que nos machucaram, mas de homens que vão nos machucar: portanto, você pode ter certeza de que a raiva não nasce de uma injúria". É verdade que ficamos com raiva daqueles que vão nos machucar, mas eles já nos ferem de propósito, e quem vai nos machucar já está ferido. "O mais fraco dos homens", argumenta ele, "muitas vezes fica zangado com o mais poderoso: então você pode ter certeza de que a raiva não é um desejo de punir seu antagonista – pois os homens não desejam puni-lo quando não podem esperar fazê-lo." Em primeiro lugar, falei de

um desejo de punir, não de um poder para fazê-lo: agora os homens desejam até mesmo o que não podem obter. Em segundo lugar, ninguém está em posição tão baixa a ponto de não poder esperar infligir punição até mesmo sobre o maior dos homens: todos nós somos poderosos para o mal. A definição de Aristóteles difere pouco da minha: pois ele declara que a raiva é um desejo de retribuir o sofrimento. Seria uma longa tarefa examinar as diferenças entre a definição dele e a minha: pode-se argumentar contra ambos que os animais selvagens ficam com raiva sem serem excitados por ferimentos e sem qualquer ideia de punir os outros ou retribuí-los com dor: porque, mesmo que façam essas coisas, não é isso que pretendem fazer. Devemos admitir, entretanto, que nem os animais selvagens nem qualquer outra criatura, exceto o homem, estão sujeitos à raiva: pois, embora a raiva seja inimiga da razão, ela não surge em nenhum lugar onde a razão não possa habitar. Os animais selvagens têm impulsos, fúria, crueldade, combatividade: não têm raiva mais do que luxúria: ainda assim, eles se entregam a alguns prazeres com menos autocontrole do que os seres humanos. Não acredite no poeta que diz:

"*O javali esquece sua ira, o cervo esquece os cães,*
O urso se esquece de como 'no meio da manada
a transpôs com saltos frenéticos."

Quando ele fala sobre os animais que estão com raiva, ele quer dizer que eles estão excitados, atiçados: pois, na verdade, eles não sabem irar-se mais do que sabem perdoar. As criaturas mudas não têm sentimentos humanos, mas têm certos impulsos que se assemelham: pois, se assim não fosse, se pudessem sentir amor e ódio, seriam igualmente capazes de amizade e inimizade, de desacordo e acordo. Alguns traços dessas qualidades existem mesmo neles, embora propriamente todos eles, bons ou maus, pertençam apenas ao seio humano. A nenhuma criatura além do homem foi dada sabedoria, previsão, diligência e reflexão. Para os animais, não apenas as virtudes humanas, mas até os vícios humanos são proibidos: toda a sua constituição, mental e física, é diferente da dos seres humanos: neles o princípio real e principal é extraído de outra fonte, como, por exemplo, eles possuem uma voz, ainda não é claro, mas indistinta e incapaz de formar palavras: uma língua, mas que é acorrentada e não suficientemente ágil para movimentos complexos: assim, também, eles possuem intelecto, o maior atributo de todos, mas de forma áspera e condição inexata. São, portanto, capazes de captar aquelas visões e semblantes que os despertam para a ação, mas apenas de uma forma turva e indistinta. Segue-se daí que seus impulsos e surtos são violentos, e que eles não sentem medo, ansiedade, tristeza ou raiva, mas algumas semelhanças desses sentimentos, portanto, eles rapidamente os abandonam e adotam o inverso: põem-se a pastar, depois de mostrar a mais veemente raiva e terror, e depois de gritos e quedas frenéticas, eles imediatamente caem no sono tranquilo.

4 O que é a raiva foi suficientemente explicado. A diferença entre ela e a irascibilidade é evidente: é a mesma que existe entre um bêbado e um ébrio; entre um homem assustado e um covarde. É possível que um homem irado não seja irascível; um homem irascível pode às vezes não ficar zangado. Vou omitir as outras variedades de raiva, que os gregos distinguem por vários nomes, porque não temos palavras distintas para elas em nossa língua, embora chamemos os homens de amargos e ásperos, e de rabugentos, frenéticos, clamorosos, mal-humorados e ferozes: são todas diferentes formas de irascibilidade. Entre eles, você pode classificar o mau humor, uma forma refinada de irascibilidade; pois existem alguns tipos de raiva que não vão além do barulho, enquanto alguns são tão duradouros quanto comuns: alguns são ferozes em ações, mas inclinados a poupar palavras: alguns se gastam em palavras amargas e maldições: alguns não vão além de reclamar e virar as costas, algumas iras são grandes, arraigadas e remoídas dentro do homem: existem mil outras formas deste mal multiforme.

5

Agora terminamos nossa investigação sobre o que é a raiva, se ela existe em qualquer outra criatura além do homem, qual a diferença entre esse sentimento e a irascibilidade, e quantas formas possui. Vamos agora indagar se a raiva está de acordo com a natureza, e se ela é útil e vale a pena mantê-la em alguma medida.

Se é de acordo com a natureza, ficará evidente se considerarmos a natureza do homem. O que é mais dócil do que ele enquanto está em seu estado equilibrado? No entanto, o que é mais cruel do que a raiva? O que há de mais afetuoso com os outros do que o homem? No entanto, o que há de mais selvagem do que a sua raiva? A humanidade nasce para a ajuda mútua, e a raiva para a ruína mútua: a primeira ama a sociedade, a segunda o estranhamento. Um gosta de fazer o bem, o outro de fazer o mal; um para ajudar até estranhos, o outro para atacar até mesmo seus amigos mais queridos. Um está pronto para se sacrificar pelo bem dos outros, o outro para mergulhar no perigo, desde que arraste outros com ele. Quem, então, pode ser mais ignorante da natureza do que aquele que classifica este vício cruel e nocivo como pertencente ao seu melhor e mais polido trabalho? A raiva, como já dissemos, está ansiosa para punir; e a existência de tal desejo no seio pacífico do homem não está de modo algum de acordo com a sua natureza; pois a vida humana é fundada em benefícios e harmonia e está unida em uma aliança para a ajuda comum de todos, não pelo terror, mas pelo amor uns para com os outros.

6

"O que, então? A correção às vezes não é necessária?" Claro que é; mas com discrição, não com raiva; pois não fere, mas cura sob a aparência de ferir. Assim como lançamos hastes tortas ao fogo, não para quebrá-las, mas para endireitá-las e forçá-las, cravando-as em cunhas, da mesma maneira, aplicando dor ao corpo ou à mente, corrigimos disposições que foram distorcidas pelo vício. Assim, o médico, a princípio, ao lidar com distúrbios leves, tenta não fazer muitas mudanças nos hábitos diários de seus pacientes; regula sua comida, bebida e exercícios, e melhora sua saúde apenas alterando a ordem em que os trata. O próximo passo é ver se uma dieta é proveitosa. Se nenhuma alteração da ordem ou da quantidade de alimentos for útil, ele corta alguns e reduz outros. Se mesmo isso não servir, ele proíbe a comida e descarrega o corpo com jejum. Se os remédios mais suaves se revelaram inúteis, ele abre uma veia; se as extremidades estão adoecendo o corpo e infectando-o com enfermidades, ele impõe as mãos sobre os membros; no entanto, nenhum de seus tratamentos é considerado severo se seu resultado for trazer saúde. Da mesma forma, é dever do administrador-chefe das leis, ou governante de um Estado, corrigir os homens mal-intencionados, contanto que ele seja capaz, com palavras, e até mesmo com gentileza, para que possa persuadi-los a que façam o que devem, inspire-os com amor à honra e à justiça e faça com que odeiem o vício e deem valor à virtude. Ele deve então passar para uma linguagem mais severa, ainda se limitando a aconselhar e repreender; por último, deve submetê-los aos castigos, mas ainda assim torná-los leves e temporários. Ele deve atribuir punições extremas apenas para crimes extremos, para que ninguém morra, a menos que seja para a própria vantagem do criminoso que isso se suceda. Ele será diferente do médico apenas em um ponto; pois enquanto os médicos tornam fácil o morrer daqueles a quem eles não podem conceder a dádiva da vida, ele expulsará da vida o condenado com ignomínia e desgraça, não porque sinta prazer em punir qualquer homem, pois o homem sábio está longe de tal ferocidade desumana, mas para que seja um aviso para todos os homens, e que, uma vez que não seriam úteis em vida, o Estado não pode, de qualquer forma, lucrar com sua morte. A natureza do homem não é, portanto, desejosa de infligir punição; nem, por consequência, a raiva está de acordo com a natureza do homem, porque ela deseja infligir punição. Também acrescentarei o argumento de Platão: pois que mal há em usar os argumentos de outros homens, na medida em que apoiam o nosso? "Um homem bom", diz ele, "não faz mal: só o castigo dói. A punição, portanto, não está de acordo com o homem bom: portanto a raiva também não está, porque a punição e a raiva estão de acordo uma com a outra. Se um homem bom não tem prazer na punição, ele também não terá prazer naquele estado de espírito ao qual a punição dá prazer: consequentemente, a raiva não é natural para o homem."

7

Não pode ser que, embora a raiva não seja natural, pode ser certo adotá-la, porque muitas vezes se mostra útil? Isso desperta o espírito e o excita; e a coragem não faz nada de grande na guerra sem ela, a menos que sua chama seja fornecida por esta fonte; este é o aguilhão que incita os homens ousados e os envia ao encontro dos perigos. Alguns, portanto, consideram ser melhor controlar a raiva, não a excluir totalmente, mas cortar suas extravagâncias e forçá-la a se manter dentro de limites úteis, de modo a reter aquela parte da ira sem a qual a ação se tornará lânguida e toda a força e a atividade mental desaparecerão.

Em primeiro lugar, é mais fácil excluir paixões perigosas do que governá-las; é mais fácil não as admitir do que mantê-las sob controle quando admitidas; pois, quando se estabelecem na posse da mente, são mais poderosas do que o governante legítimo e de maneira alguma permitirão que sejam enfraquecidas ou abreviadas. Em seguida, a própria razão, que segura as rédeas, só é forte enquanto permanece afastada das paixões; se a razão se mistura e se suja com elas, não é mais capaz de conter aqueles que outrora ela poderia ter tirado de seu caminho, pois a mente, uma vez excitada e abalada, vai para onde as paixões a levam. Existem certas coisas cujo início está em nosso próprio poder, mas que, quando desenvolvidas, nos arrastam por sua própria força e não nos deixam recuar.

Aqueles que se jogaram em um precipício não têm controle sobre seus movimentos, nem podem parar ou abrandar o ritmo quando começaram, pois, seu próprio estouvamento precipitado e irremediável não deixa espaço para reflexão ou remorso, e eles não podem se aprofundar àquilo que poderiam ter evitado. Assim, também, a mente, quando se abandona à raiva, ao amor ou a qualquer outra paixão, é incapaz de se controlar: seu próprio peso e a tendência descendente dos vícios levam o homem para longe e o lançam nas profundezas mais remotas.

8. O melhor plano é rejeitar imediatamente os primeiros incentivos à raiva, resistir ao seu início e tomar cuidado para não ser traído por ela: pois uma vez que começa a nos levar para longe, é difícil voltar a uma vida saudável, porque a razão não serve para nada quando a paixão foi admitida na mente e por nossa própria vontade recebeu certa autoridade, e ela fará no futuro o que quiser e não só o que você permitir. O inimigo, repito, deve ser enfrentado e rechaçado na linha de fronteira mais externa: pois, depois de entrar na cidade e passar por seus portões, não permitirá que seus prisioneiros estabeleçam limites para sua vitória. A mente não se separa e vê suas paixões de fora, de modo a não permitir que avancem além do que deveriam, mas ela mesma se transforma em paixão e, portanto, é agora incapaz de verificar o que antes era uma força útil e salutar, agora que se tornou degenerada e mal aplicada: paixão e razão, como eu disse antes, não têm províncias distintas e separadas, mas consistem nas mudanças da própria mente para melhor ou para pior. Como então pode a razão se recuperar quando é vencida e re-

primida pelos vícios, quando dá lugar à raiva? Ou como pode se livrar de uma mistura confusa, cuja maior parte consiste nas qualidades inferiores? "Mas", argumenta nosso adversário, "alguns homens, quando estão com raiva, controlam-se". Eles até agora se controlam a ponto de não fazer nada que a raiva dite, ou algo assim? Se eles não fizerem nada disso, torna-se evidente que a raiva não é essencial para a condução dos negócios, embora sua seita a defenda como possuindo mais força do que a razão. Finalmente, eu pergunto, a raiva é mais forte ou mais fraca do que a razão? Se mais forte, como pode a razão impor algum controle, visto que só os menos poderosos obedecem? Se mais fraca, então a razão é competente para realizar seus fins sem raiva, e não precisa da ajuda de uma qualidade menos poderosa. "Mas alguns homens raivosos permanecem consistentes e se controlam." Quando fazem isso? É quando sua raiva está desaparecendo e deixando-os por conta própria, não quando estava em brasa, pois era mais poderosa do que eles. "O que, então? Os homens, mesmo no auge de sua raiva, às vezes não deixam seus inimigos saírem inteiros e ilesos, e se abstêm de feri-los?" Eles o fazem: mas quando? É quando uma paixão domina a outra, e o medo ou a ganância levam a vantagem por um tempo. Nessas ocasiões, não é por causa da razão que a raiva se acalma, mas por causa de uma trégua indigna de confiança e passageira entre as paixões.

9 Em seguida, a raiva não tem nada de útil em si mesma, e não desperta a mente para atos guerreiros: pois uma virtude, sendo autossuficiente, nunca precisa da ajuda de um vício: sempre que precisa de um esforço impetuoso, não

se zanga, mas está à altura da ocasião e se excita ou se acalma tanto quanto julga necessário, assim como as máquinas que lançam dardos podem ser torcidas em maior ou menor grau de tensão para o prazer do portador. "A raiva", diz Aristóteles, "é necessária, e nenhuma luta pode ser vencida sem ela, a menos que preencha a mente e desperte o espírito. Deve, no entanto, ser usada não como general, mas como soldado." Agora, isso não é verdade; pois se ele escuta a razão e segue para onde a razão leva, não é mais raiva, cuja característica é a obstinação: se, novamente, é desobediente e não se acalma quando isto é ordenado, mas é levada por seu próprio espírito voluntarioso e obstinado, é, então, uma ajuda tão inútil para a mente como um soldado que desconsidera o som da retirada. Se, portanto, a raiva permite que limites sejam impostos a ela, ela deve ser chamada por algum outro nome, e deixa de ser raiva, que entendo ser desenfreada e incontrolável; e se não permite que limites sejam impostos a ela, é prejudicial e não deve ser considerada útil. Portanto, ou a raiva não é raiva, ou é inútil: pois se alguém exige a aplicação da punição, não porque está ansioso para a punição em si, mas porque é certo aplicá-la, então não deve ser considerado um homem irado: esse será o soldado útil, pois sabe obedecer às ordens: as paixões não podem obedecer mais do que podem comandar.

10 Por este motivo, a razão nunca pedirá em seu auxílio impulsos cegos e ferozes, sobre os quais ela própria não possui autoridade, e que nunca poderá conter, a não ser colocando contra eles paixões semelhantes e igualmente poderosas, como por exemplo, o medo contra a raiva, a raiva contra a preguiça, a ganância contra a timidez. Que a virtude nunca chegue a tal ponto, que a razão voe em busca de ajudar os vícios! A mente não pode encontrar nenhum repouso seguro assim, ela precisa ser atacada e atormentada pela tempestade se estiver segura apenas por causa de seus próprios defeitos, se não puder ser corajosa sem raiva, diligente sem ganância, quieta sem medo: tal é o despotismo sob o qual um homem deve viver se tornar-se escravo de uma paixão. Você não tem vergonha de colocar as virtudes sob o patrocínio dos vícios? Então, também, a razão deixa de ter qualquer poder se ela não pode fazer nada sem paixão, e começa a ser igual e semelhante à paixão; pois que diferença há entre eles se a paixão sem razão é tão precipitada, quanto a razão sem paixão é impotente? Ambas estão no mesmo nível, se uma não puder existir sem a outra. No entanto, quem poderia suportar que a paixão se tornasse igual à razão? "Então", diz nosso adversário, "a paixão é útil, desde que moderada". Não, apenas se for útil por natureza: mas se for desobediente à autoridade e à razão, tudo o que ganhamos com sua moderação é que quanto menos há, menos dano causa: portanto, uma paixão moderada nada mais é do que um mal moderado.

11

"Mas", ele argumenta, "contra os nossos inimigos a raiva é necessária". Em nenhum caso é menos necessária; visto que nossos ataques não devem ser desordenados, mas regulados e sob controle. O que, de fato, é senão a raiva, tão ruinosa para si mesma, que derruba os bárbaros, que têm muito mais força corporal do que nós e são muito mais capacitados para suportar a fadiga? Os gladiadores também se protegem pela habilidade, mas se expõem aos ferimentos quando estão com raiva. Além disso, para que serve a raiva, quando o mesmo fim pode ser alcançado pela razão? Você acha que um caçador está zangado com os animais que mata? No entanto, ele os encontra, os ataca e os segue quando fogem dele, tudo é governado pela razão sem raiva. Quando tantos milhares de cimbros e teutos se derramaram sobre os Alpes, o que foi que os fez perecer tão completamente, que nenhum mensageiro, apenas um boato comum, levou a notícia de grande derrota para suas casas, exceto que com eles a raiva tomou o lugar da coragem? E a ira, embora às vezes destrua e quebre tudo o que encontra, ainda é mais responsável por sua própria destruição. Quem pode ser mais corajoso do que os germânicos? Quem cobra com mais ousadia? Quem tem mais amor pelas armas, entre as quais nascem e pelas quais são estimulados, apenas pelas quais se importam, sendo negligentes com tudo o mais? Quem pode ser mais endurecido para todas as adversidades, uma vez que grande parte deles não tem nenhuma reserva de roupas para o corpo, nenhum abrigo do rigor contínuo do clima? Ainda assim, hispânicos e gauleses, e mesmo as raças fracas para a guerra da Ásia e da Síria, os abateram antes que a legião principal fosse vista, expondo-os à morte por nada além de sua própria irascibilidade. Dê apenas inteligência a essas mentes, e disciplina a seus corpos, que agora desconhecem refinamentos viciosos, luxo e riqueza – para não dizer mais nada, certamente seríamos obrigados a voltar aos antigos hábitos de vida romanos. De que outra forma Fábio restaurou as forças abaladas do Estado, exceto sabendo atrasar e prolongar o tempo, o que os homens irados não sabem fazer? O Império, que então estava em seu último suspiro, teria perecido se Fábio fosse tão ousado quanto a raiva o impelia: mas ele pensou sobre a situação e, depois de contar suas forças, das quais nenhuma parte poderia ser perdida sem que tudo se perdesse, deixou de lado os pensamentos de tristeza e vingança, voltando sua única atenção para o que era proveitoso e empregando suas oportunidades ao máximo. Ele venceu a raiva antes de vencer Aníbal. O que Cipião fez? Ele deixou para trás Aníbal e o exército cartaginês, e todos com quem tinha o direito de se zangar, e não conduziu ele a guerra para a África com tal deliberação que fez seus inimigos considerá-lo luxuoso e preguiçoso? O que fez o outro Cipião? Ele não permaneceu muito tempo diante de Numância e suportou com calma a censura a si mesmo e a seu país, fazendo com que a Numância demorasse mais para ser conquistada do que Cartago? Ao bloquear e investir contra seus inimigos, ele os levou a tal situação que pereceram por suas próprias espadas. A raiva, portanto, não é útil nem mesmo em guerras ou batalhas: pois é precipitada e, ao tentar colocar os outros em perigo, não se protege contra o perigo. A virtude mais confiável é aquela que longa e cuidadosamente estuda a si própria, controla-se e lenta e deliberadamente se coloca à frente.

{12} "O que, então", pergunta nosso adversário, "é um bom homem para não ficar zangado se vê seu pai assassinado ou sua mãe humilhada?" Não, ele não ficará zangado, mas irá vingá-los ou protegê-los. Por que você acha que a piedade filial não seja um estímulo suficiente para ele, mesmo sem raiva? Você também pode dizer "O que, então? Quando um bom homem vê seu pai ou filho sendo morto, suponho que ele não vai chorar nem desmaiar", como vemos as mulheres fazerem sempre que a elas chega qualquer boato insignificante de perigo. O homem bom cumprirá seu dever sem perturbação ou medo e cumprirá o dever de um homem bom, de modo a não fazer nada que seja indigno. Meu pai será assassinado: então eu o defenderei: ele foi morto, então eu o vingarei, não porque estou triste, mas porque é meu dever. "Bons homens ficam zangados com os ferimentos causados a seus amigos." Quando você diz isso, Teofrasto, você busca lançar descrédito sobre máximas mais viris; você deixa o juiz e apela para a turba: porque todo mundo fica furioso quando tais coisas acontecem com seus próprios amigos, você supõe que os homens decidirão que é seu dever fazer o que fazem: pois como regra, todo homem considera uma paixão que ele reconhece ser justa. Mas ele faz a mesma coisa se a água quente não estiver pronta para sua bebida, se um copo se quebrar ou se seu sapato ficar molhado de lama. Não é a piedade filial, mas a fraqueza mental que produz essa raiva, como as crianças choram quando perdem seus pais, assim como choram quando perdem seus brinquedos. Sentir raiva em nome de seus amigos não mostra amor, mas fraqueza: é uma conduta admirável e digna ser o defensor dos pais, filhos, amigos e conterrâneos, ao próprio chamado do dever, agindo por vontade própria, formando um julgamento deliberado e olhando para o futuro, não de uma forma impulsiva e frenética. Nenhuma paixão é mais ávida por vingança do que a raiva e, por isso mesmo, não está apta a vingar-se: sendo precipitada e frenética, como quase todos os desejos, ela se impede de alcançar seu próprio objetivo e, portanto, nunca foi útil tanto na paz quanto na guerra, e quando armada, pois, não tendo poder sobre si, cai em poder de outros. Em seguida, os vícios não devem ser aceitos no uso comum, porque em algumas ocasiões tiveram algum efeito; assim, também as febres são boas para certos tipos de problemas de saúde, mas, no entanto, é melhor estar totalmente livre delas: é uma forma odiosa de cura a saúde se dever à doença. Da mesma forma, mesmo se a raiva, tal como um veneno, uma queda ou um naufrágio, possa ser útil inesperadamente, não deve, por isso, ser classificada como benéfica, pois os venenos frequentemente têm se mostrado bons para a saúde.

{13} Além disso, as qualidades que devemos possuir tornam-se melhores e mais desejáveis quanto mais extensas são: se a justiça é uma coisa boa, ninguém dirá que seria melhor se qualquer parte dela fosse subtraída; se a bravura é uma coisa boa, ninguém gostaria que fosse restringida de forma alguma: consequentemente, quanto maior a raiva, melhor. Quem haveria de se opor à ampliação de uma coisa boa? Mas não é conveniente que a raiva seja ampliada; portanto, não é conveniente que ela exista, pois aquilo que fica ruim ao ser ampliado não pode ser uma coisa boa. "A raiva é útil", diz nosso adversário, "porque torna os homens mais aptos para lutar". De acordo com esse modo de raciocínio, então, a embriaguez também é uma coisa boa, pois torna os homens insolentes e ousados, e muitos usam suas armas melhor quando alterados pela bebida: não, de acordo com esse raciocínio, também, você pode chamar o frenesi e a loucura essenciais para a força, porque muitas vezes a loucura torna os homens mais fortes. Por que quase sempre o medo pelo governo dos contrários não torna os homens mais ousados, e o terror da morte não desperta até mesmo covardes presunçosos para se juntar à batalha? No entanto, a raiva, a embriaguez, o medo e coisas semelhantes são incitamentos baixos e temporários à ação e não podem fornecer armas à virtude, que não precisa de vícios, embora às vezes possam ser de pouca ajuda para mentes preguiçosas e covardes. Nenhum homem se torna mais corajoso por causa da raiva, exceto aquele que sem raiva não teria sido corajoso de forma alguma: a raiva, portanto, não vem para ajudar a coragem, mas para tomar o seu lugar. O que dizer do argumento de que, se a raiva fosse uma coisa boa, ela se ligaria a todos os melhores homens? No entanto, as criaturas mais irascíveis são crianças, velhos e pessoas doentes. Todo fraco é naturalmente propenso a reclamar.

{14} É impossível, diz Teofrasto, que um homem bom não fique zangado com homens maus. Por este raciocínio, quanto melhor é um homem, mais irascível ele será: mas ele não estará mais tranquilo, mais livre de paixões e não odiando ninguém: na verdade, que razão ele tem para odiar pecadores, já que é um erro que os leva a tais crimes? Agora não se torna um homem sensato odiar o errado, pois se assim for, ele se odiará: deixe-o pensar quantas coisas ele faz contrárias à boa moral, quanto do que fez precisa de perdão, e ele o fará, logo, fica com raiva de si mesmo também, pois nenhum juiz justo pronuncia um julgamento diferente em seu próprio caso e no dos outros. Ninguém, afirmo, será encontrado que possa absolver a si mesmo. Todos, quando se autodenominam inocentes, olham mais para testemunhas externas do que para sua própria consciência. Quanto mais filantrópico seria lidar com os que erram com um espírito gentil e paternal e chamá-los à justiça em vez de caçá-los? Quando um homem está vagando por nossos campos porque se perdeu, é melhor colocá-lo no caminho certo do que afugentá-lo.

§ 15 § O pecador deve, portanto, ser corrigido tanto por advertência quanto pela força, tanto por meios gentis quanto rudes, e pode ser feito um homem melhor tanto para si mesmo quanto para os outros por punição, mas não por raiva: quem se enraivece com o paciente cujas feridas ele está cuidando? "Mas eles não podem ser corrigidos, e não há nada neles que seja gentil ou que admita esperança." Então, que eles sejam removidos da sociedade mortal, se são propensos a depravar todos com quem entram em contato, e que deixem de ser homens maus da única maneira que podem: ainda que isso seja feito sem ódio: para quê, por que tenho eu odiado o homem a quem estou fazendo o maior bem, visto que o estou resgatando de si mesmo? Um homem odeia seus próprios membros quando os corta? Isso não é um ato de raiva, mas um método lamentável de cura. Eliminamos cães loucos, abatemos touros ferozes e selvagens e condenamos ovelhas raquíticas à faca, para que não infectem nossos rebanhos: destruímos nascimentos monstruosos e afogamos nossos filhos se nascerem fracos ou de forma anormal[2]; separar o inútil do que é bom é um ato, não de raiva, mas de razão. Àquele que pune, nada convém

---

[2] O infanticídio de bebês deformados era comum na Roma Antiga.

menos do que irar-se, porque a punição tem ainda mais poder para operar a reforma se a sentença for pronunciada com julgamento refletido. É por isso que Sócrates disse ao escravo: "Eu esbofetearia você, se não estivesse com raiva." Ele adiou a correção do escravo para um momento em que estivesse mais calmo; então ele o corrigiu. Quem pode se orgulhar de ter suas paixões sob controle, se Sócrates não ousou confiar em sua raiva?

16

Não precisamos, portanto, de um castigador irado para punir os que erram e os ímpios: pois, uma vez que a raiva é um crime da mente, não é certo que os pecados sejam punidos pelo pecado. "O quê! não devo ficar zangado com um ladrão ou envenenador?" Não: pois não fico zangado comigo mesmo quando sangro. Eu aplico todos os tipos de punições como remédios. Você ainda está no primeiro estágio do erro e nele não incorre com gravidade, embora o faça com frequência: então, tentarei corrigi-lo com uma reprimenda dada primeiro em particular e depois em público. Você, novamente, foi longe demais para ser restaurado à virtude apenas por palavras; deve ser mantido sob controle pela desgraça. Da próxima vez, alguma medida mais forte será necessária, algo que possa sentir deve ser marcado nele; você, senhor, será enviado para o exílio e para um lugar deserto. A completa vilania do homem precisa de remédios mais duros: correntes e prisão pública devem ser aplicadas a ele. Você, por último, tem uma mente incuravelmente viciosa, e acrescenta o crime ao crime: chegou a tal ponto que não é mais influenciado pelos argumentos, que para o mal nunca hão de faltar, mas o próprio pecado é para você uma razão suficiente para pecar: você mergulhou de tal forma todo o seu coração na maldade, que a maldade não lhe pode ser tirada sem trazer o seu coração com ela. Homem miserável! você há muito procurou morrer; faremos um bom serviço a você, tiraremos aquela loucura de que você sofre, e a você que por tanto tempo viveu uma miséria para si e para os outros, daremos o único bem que resta, isto é, a morte. Por que eu deveria ficar com raiva de um homem apenas quando estou fazendo o bem a ele: às vezes, a forma mais verdadeira de compaixão é matá-lo. Se eu fosse um médico habilidoso e erudito e fosse entrar em um hospital ou na casa de um homem rico, não deveria prescrever o mesmo tratamento para todos os pacientes que sofressem de várias doenças. Vejo vícios diversos no vasto número de mentes diferentes e sou chamado para curar todo o corpo dos cidadãos: procuremos os remédios adequados para cada doença. Este homem pode ser curado por seu próprio senso de honra, aquele pela viagem, aquele pela dor, aquele pela necessidade, aquele pela espada. Se, portanto, for meu dever como magistrado vestir túnicas pretas e convocar uma assembleia ao som de uma trombeta, devo caminhar para o tribunal, não com raiva ou hostilidade no espírito, mas com o semblante de um juiz; Vou pronunciar a sentença formal com uma voz grave e gentil, em vez de furiosa, e devo ordenar que procedam com firmeza, mas não com raiva. Mesmo quando eu determino a decapitação de um criminoso, quando costuro um parricida em um saco, quando ordeno um homem para ser punido pela lei marcial, quando atiro um traidor ou inimigo público abaixo do Rocha Tarpeia[3], estarei livre de raiva, e devo parecer e sentir como se estivesse esmagando cobras e outras criaturas venenosas. "A raiva é necessária para que possamos punir." O quê? Você acha que a lei está com raiva de homens que não conhece, que nunca viu, que espera que nunca existam? Devemos, portanto, adotar o estado de espírito da lei, que não fica com raiva, mas apenas define as ofensas: pois, se é certo para um homem bom ficar com raiva de crimes perversos, também será certo que ele seja movido pela inveja diante da prosperidade dos homens ímpios: o que, de fato, é mais escandaloso do que em alguns casos os próprios homens, para cujos méritos nenhum destino poderia ser considerado ruim o suficiente, florescerem e realmente serem os filhos mimados do sucesso? No entanto, ele verá sua riqueza sem inveja, assim como vê seus crimes sem raiva: um bom juiz condena os atos ilícitos, mas não os odeia. "O que, então? Quando o homem sábio está lidando com algo desse tipo, sua mente não será afetada por isso e ficará excitada além de seu costume?" Admito que sim: ele experimentará uma emoção leve e insignificante; pois, como diz Zeno, "Mesmo na mente do homem sábio, uma cicatriz permanece depois que a ferida está totalmente curada." Ele, portanto, sentirá certos indícios e aparências de paixões, mas estará livre das suas próprias.

17 Aristóteles diz que "certas paixões, se as utilizamos adequadamente, agem como armas": o que seria verdade se, como armas de guerra, pudessem ser empunhadas ou postas de lado à vontade de seu portador. Es-

---
[3] Local onde eram realizadas execuções em Roma, de onde os condenados eram lançados.

sas armas, que Aristóteles atribui à virtude, lutam por si mesmas, não esperam ser agarradas pela mão e possuem um homem em vez de serem possuídas por ele. Não precisamos de armas externas; a natureza nos equipou suficientemente ao nos dar a razão. Ela concedeu-nos esta arma, que é forte, imperecível e obediente à nossa vontade, não incerta ou capaz de se voltar contra seu mestre. A razão por si só não basta para pensar no futuro, mas para administrar nossos negócios: o que, então, pode ser mais tolo do que a razão implorar pela proteção da raiva, isto é, o certo implorar pelo que é incerto? O que é confiável pelo que não é? O são pelo doente? O quê, de fato? Visto que a razão é muito mais poderosa por si mesma, mesmo ao realizar aquelas operações em que a ajuda da raiva parece especialmente necessária: pois quando a razão decidiu que uma determinada coisa deve ser feita, ela persevera em fazê-lo; melhor que ela mesma nada há para encontrar. Ela, portanto, cumpre seu propósito quando foi formada, ao passo que a raiva muitas vezes é superada pela piedade: pois ela não possui força firme, mas apenas incha como uma bexiga vazia e tem um início violento, assim como os ventos que sobem da terra e são causadas por rios e pântanos, que sopram furiosamente sem qualquer continuação: a raiva começa com um ímpeto poderoso, e então desaparece, fenecendo muito cedo: não tendo se ocupado de nada além de crueldade e novas formas de tortura, torna-se bastante amolecida e gentil quando chega a hora de a punição ser infligida. A paixão logo esfria, ao passo que a razão é sempre consistente: no entanto, mesmo nos casos em que a raiva continua a arder, muitas vezes acontece que, embora possa haver muitos que mereçam morrer, depois da morte de dois ou três ela cessa de matar. Seu primeiro ataque é violento, assim como os dentes das cobras, quando saem de seu covil, são venenosos, mas tornam-se inofensivos após repetidas mordidas terem exaurido seu veneno. Consequentemente, aqueles que são igualmente culpados não são igualmente punidos, e muitas vezes quem fez menos é punido mais, porque caiu no caminho da raiva quando ela estava no início. É totalmente irregular; em um momento corre em excessos indevidos, em outro deixa de cumprir seu dever: pois condescende com seus próprios sentimentos e dá sentença de acordo com seus caprichos, não ouve as evidências, não permite à defesa nenhuma oportunidade de ser ouvida, apega-se ao que assumiu erroneamente e não permitirá que sua opinião seja contradita, mesmo que seja equivocada.

{18} A razão dá a cada lado tempo para pleitear; além disso, ela própria exige o adiamento, para que tenha espaço suficiente para a descoberta da verdade; enquanto a raiva tem pressa, a razão deseja dar uma decisão justa; a raiva quer que sua decisão seja considerada justa: a razão não olha além do assunto em questão; a raiva é estimulada por questões vazias pairando nos arredores do caso: é enfurecida por qualquer coisa que se aproxime de uma atitude confiante, uma voz alta, um discurso desenfreado, roupas delicadas, súplicas exageradas ou popularidade com o público. Frequentemente condena um homem porque não gosta de seu patrono; ama e mantém o erro mesmo quando a verdade a está encarando de frente. Odeia ser provado que está errada e pensa que é mais honroso perseverar em uma linha de conduta equivocada do que retratá-la. Lembro-me de Cneu Piso, um homem livre de muitos vícios, mas de temperamento perverso, que confundia aspereza com consistência. Em sua raiva, ele ordenou que um soldado fosse conduzido para a execução porque ele havia retornado da licença sem seu camarada, como se ele devesse tê-lo assassinado se não pudesse apresentá-lo. Quando o homem pediu tempo para a busca, ele não o concedeu: o condenado foi levado para fora da muralha, e estava apenas oferecendo o pescoço ao machado, quando de repente apareceu seu companheiro que se pensava ter sido morto. Em seguida, o centurião encarregado da execução ordenou ao guarda que embainhasse a espada e conduziu o condenado de volta a Piso, para devolver-lhe a inocência que a Fortuna havia devolvido ao soldado. Eles foram conduzidos à sua presença por seus companheiros soldados em meio à grande alegria de todo o acampamento, abraçados e acompanhados por uma vasta multidão. Piso subiu ao tribunal furioso e ordenou que os dois fossem executados, tanto aquele que não havia assassinado quanto aquele que não havia sido morto. O que poderia ser mais indigno do que isso? Porque provou-se a inocência de um, dois foram mortos. Piso até acrescentou um terceiro: pois ele realmente ordenou que o centurião, que trouxera o condenado, fosse morto. Três homens morreram no mesmo lugar porque um era inocente. Oh, quão inteligente é a raiva em inventar razões para seu frenesi! "Vós", diz o texto, "mando ser executado porque foste condenado à morte: tu, porque foste a causa da condenação do teu camarada, e tu, porque quando mandaste matá-lo, desobedeceste ao teu general." Ele descobriu os meios de acusá-los de três crimes, porque não encontrou nenhum crime neles.

19

A irascibilidade, eu digo, tem essa falha – não quer ser governada: ela está com raiva da própria verdade, se ela vier à tona contra sua vontade: ela ataca aqueles a quem marcou para suas vítimas com gritos e barulho e gesticulação tumultuados de todo o corpo, junto com repreensões e maldições. Não é assim que a razão age: mas se assim for, ela calma e silenciosamente aniquila famílias inteiras, destrói famílias inteiras de inimigos do Estado, junto com suas esposas e filhos, derruba suas moradias, nivela-as ao solo, e elimina os nomes daqueles que são os inimigos da liberdade. Ela faz isso sem ranger os dentes ou balançar a cabeça, ou fazer qualquer coisa imprópria para um juiz, cujo semblante deve ser especialmente calmo e composto quando está pronunciando uma sentença importante. "Que necessidade há", pergunta Jerônimo, "de você morder os próprios lábios quando quer bater em alguém?" O que ele teria dito se tivesse visto um procônsul saltar do tribunal, arrancar o fasces do lictor e rasgar suas próprias roupas porque as dos outros não se rasgaram tão rápido quanto ele desejava. "Por que você precisa virar a mesa, jogar as xícaras no chão, jogar-se contra as colunas, arrancar o cabelo, bater na coxa e no peito? Quão veemente você supõe que a raiva seja, se assim ela se volta contra si mesma, por que não consegue encontrar vazão em outro tão rápido quanto deseja? Esses homens, portanto, são impedidos pelos espectadores e são solicitados a se reconciliarem consigo mesmos. Mas aquele que, embora livre da ira, atribui a cada homem o castigo que ele merece, não faz nenhuma dessas coisas. Ele muitas vezes deixa um homem ir depois de detectar seu crime, se sua penitência pelo que fez dá uma boa esperança para o futuro, se ele percebe que a maldade do homem não está profundamente enraizada em sua mente, mas é apenas superficial. Ele concederá impunidade nos casos em que não prejudique nem o receptor nem o infrator. Em alguns casos, ele punirá os grandes crimes com mais brandura do que os menores, se os primeiros foram o resultado de um impulso momentâneo, não de crueldade, enquanto o último foi o instinto de uma astúcia secreta, dissimulada e longamente praticada. A mesma falta, cometida por dois homens distintos, não será sentenciada por ele com a mesma pena, se um foi culpado por descuido, e o outro com a intenção premeditada de fazer o mal. Em tudo o que lida com o crime, ele se lembrará de que uma das formas de punição visa tornar os homens maus melhores e a outra objetiva afastá-los do caminho. Em qualquer dos casos, ele olhará para o futuro, não para o passado: pois, como diz Platão, "nenhum homem sábio pune ninguém porque pecou, mas para que não peque mais: pois o que é passado não pode ser lembrado, mas o que está por vir pode ser verificado." Aqueles, também, a quem ele deseja dar exemplos do malsucedido êxito da maldade, ele executa publicamente, não apenas para que eles próprios morram, mas para que, morrendo, possam impedir outros de fazer o mesmo. Você bem vê como deve estar livre de qualquer perturbação mental um homem que deve pesar e considerar tudo isso, quando lida com um assunto que deve ser tratado com o máximo cuidado, ou seja, o poder da vida e da morte. A espada da justiça está mal colocada nas mãos de um homem irado.

20 Nem se deve acreditar que a raiva vá contribuir em alguma coisa para a magnanimidade: o que ela confere não é magnanimidade, mas glória vã. O aumento que a doença produz em corpos inchados com humores mórbidos não é um crescimento saudável, mas uma corpulência intumescida. Todos aqueles cuja loucura os eleva acima das considerações humanas, acreditam ser inspirados por ideias elevadas e sublimes; mas não há solo sólido abaixo, e o que é construído sem alicerces está sujeito a cair em ruínas. A raiva não tem base para se apoiar e não surge de uma base firme e duradoura, mas é uma qualidade ventosa e vazia, tão distante da verdadeira magnanimidade quanto a tola resistência da coragem, imodéstia da confiança, melancolia da austeridade, crueldade a rigor. Há, eu digo, uma grande diferença entre uma mente elevada e uma mente orgulhosa: a raiva não traz nada de grandioso ou belo. Por outro lado, estar constantemente irritado parece-me ser parte de uma mente lânguida e infeliz, consciente de sua própria debilidade, como gente com corpos enfermos cobertos de feridas, que gritam ao mais leve toque. A raiva, portanto, é um vício que geralmente afeta mulheres e crianças. "Ainda assim, afeta os homens também." Porque muitos homens também têm intelectos femininos ou infantis. "Mas o que vamos dizer? Algumas palavras não saem de homens irados que parecem fluir de uma grande mente?" Sim, para aqueles que não sabem o que é a verdadeira grandeza: como, por exemplo, aquele ditado sujo e odioso: "Deixe que me odeiem, desde que me temam", que você pode ter certeza, foi escrito na época de Sila. Não sei qual era a pior das duas coisas que ele desejava: ser odiado ou temido. Ocorre-lhe que algum dia as pessoas o amaldiçoarão, tramarão contra ele, esmagá-lo-ão: que oração ele acrescenta a isso? Que todos os deuses o amaldiçoem – por descobrir uma cura para o ódio tão digna disso. "Deixe-os odiar." Como? "Desde que eles me obedeçam?" Não!" Desde que eles me aprovem?" Não! Como então? "Desde que me temam!" Eu nem mesmo seria amado nesses termos. Você imagina que este era um ditado muito espirituoso? Você está errado: isso não é grandeza, mas monstruosidade. Você não deve acreditar nas palavras de homens irados, cuja fala é muito alta e ameaçadora, enquanto sua mente é tão tímida quanto possível: nem precisa supor que o mais eloquente dos homens, Tito Lívio, estava certo em descrever alguém como sendo "De uma disposição excelente, em vez de boa". As coisas não podem ser separadas: ou ele deve ser bom ou então não pode ser grande, porque considero a grandeza de espírito inabalável, sólida, firme e uniforme em sua própria base, as quais não podem existir em más disposições. Essas disposições podem ser terríveis, frenéticas e destrutivas, mas não podem possuir grandeza; porque a grandeza depende da bondade e deve sua força a ela. "No entanto, por meio de palavras, ações e toda demonstração externa, eles farão alguém considerá-los grandes." É verdade que eles vão dizer algo que você pode achar que mostra um grande espírito, como Caio César, que se zangava com o céu porque interferia com seus bailarinos, a quem ele imitava com mais cuidado do que os assistia quando atuavam, e porque isso amedrontou sua loucura pelos trovões, certamente mal dirigidos, desafiou Jove a lutar, e que à morte, gritando o verso homérico:

"Leve-me embora, ou eu te carregarei!"

Quão grande era sua loucura! Ele deve ter acreditado que não poderia ser ferido nem mesmo pelo próprio Júpiter, ou que poderia ferir até mesmo o próprio Júpiter. Imagino que essa afirmação dele teve um peso muito importante para animar as mentes dos conspiradores para sua tarefa, pois parecia ser o cúmulo da resistência aguentar alguém que não podia aguentar Júpiter.

{21} Portanto, não há nada de grande ou nobre na raiva, mesmo quando parece ser poderosa e despreza tanto os deuses quanto os homens. Qualquer um que pense que a raiva produz grandeza de espírito pensaria que o luxo também a produz: tal homem deseja descansar em marfim, vestir-se de púrpura e ter um telhado de ouro; para remover terras, construir mares, acelerar o curso dos rios, suspender bosques no ar. Ele pensaria que a avareza mostra grandeza de espírito: pois o homem avarento reflete sobre montes de ouro e prata, trata províncias inteiras como meros campos de sua propriedade, e tem grandes extensões de campo sob a responsabilidade de simples oficiais de justiça, em vez de cônsules que tiravam na sorte os lotes para administrar. Ele pensaria que a luxúria mostra grandeza de espírito: pois o homem luxurioso nada através dos estreitos, castra tropas de meninos e se põe ao alcance das espadas dos maridos feridos com total desprezo pela morte. A ambição também, ele pensaria, mostra grandeza de espírito: pois o homem ambicioso não se contenta com um cargo uma vez por ano, mas, se possível, encheria o calendário de dignidades apenas com seu nome e cobriria o mundo inteiro com seus títulos. Não importa que altura ou comprimento essas paixões podem atingir: elas são estreitas, lamentáveis, rastejantes. A virtude por si só é elevada e sublime, nem há nada grande que não seja ao mesmo tempo tranquilo.

Assim como acontece com o corpo, adotamos certo regime para nos manter saudáveis e usamos regras diferentes para trazer de volta a saúde quando a perdemos, da mesma forma devemos repelir a raiva de uma maneira e extingui-la de outra. Para que possamos evitá-la, certas regras gerais de conduta que se aplicam à vida de todos os homens devem estar presentes em nós.

LIVRO II

1 Meu primeiro livro, Novato, tinha um assunto mais abundante, pois as carruagens descem com facilidade: agora devemos prosseguir para assuntos mais áridos. A questão diante de nós é se a raiva surge de uma escolha deliberada ou de um impulso, isto é, se ela age por conta própria ou como a maior parte das paixões que surgem dentro de nós sem nosso conhecimento. É necessário que nosso debate se incline à consideração dessas questões, para que depois possa proceder para temas mais elevados; pois da mesma forma que em nossos corpos as partes que são primeiro colocadas em ordem são os ossos, tendões e juntas, que de forma alguma são bonitos de se ver, embora sejam a base de nossa estrutura e essenciais para a vida; ao lado deles vêm as partes em que consiste toda a beleza do rosto e da aparência; e depois disso, a cor, que acima de tudo encanta os olhos, é aplicada por último, quando o resto do corpo está completo. Não há dúvida de que a raiva é despertada pelo aparecimento de um dano: mas a questão diante de nós é, se a raiva segue imediatamente ao aparecimento da injúria e surge sem a ajuda da mente, ou se é despertada com a simpatia da mente. Nossa opinião (dos estoicos) é que a raiva não pode aventurar-se em nada por si mesma, sem a aprovação da mente: pois conceber a ideia de um mal ter sido cometido, ansiar por vingá-lo e juntar as duas proposições, que não devíamos ter sido feridos e que é nosso dever vingar nossas injúrias, não pode pertencer a um mero impulso que é excitado sem nosso consentimento. Esse impulso é um ato simples; este é complexo e composto de várias partes. O homem entende que algo aconteceu: ele fica indignado com isso: ele condena o feito; e ele se vinga disso. Todas essas coisas não podem ser feitas sem que sua mente concorde com os assuntos que o tocaram.

2 Para onde, digamos, tende essa investigação? Para que possamos saber o que é a raiva: pois se ela surge contra a nossa vontade, nunca cederá à razão: porque todos os movimentos que acontecem sem nossa vontade estão além do nosso controle e são inevitáveis, como tremer quando água fria é derramada sobre nós, ou retrair quando somos tocados em certos lugares. Os cabelos dos homens se arrepiam com as más notícias, seus rostos ficam vermelhos com palavras indecentes e eles são tomados de tontura ao olhar para um precipício; e como não está em nosso poder deter nenhuma dessas coisas, nenhum raciocínio pode impedir que ocorram. Mas a raiva pode ser exterminada por máximas sábias; pois é um defeito voluntário da mente, e não uma daquelas coisas que são desenvolvidas pelas condições da vida humana e que, portanto, pode acontecer até mesmo ao mais sábio de nós. Entre essas e em primeiro lugar, deve ser classificada aquela emoção da mente que nos apodera do pensamento de uma transgressão. Sentimos isso mesmo ao testemunhar as cenas de mímica do palco, ou ao ler sobre coisas que aconteceram há muito tempo. Frequentemente, ficamos zangados com Clódio por banir Cícero, e com Antônio por assassiná-lo. Quem não está indignado com as guerras de Mário, as proscrições de Sula? Quem não está furioso com Teódoto e Áquila e o rei menino que se atreveu a cometer um crime mais do que infantil? Às vezes, as canções nos excitam, o ritmo acelerado e o som marcial das trombetas; assim, também, imagens chocantes e a visão terrível de torturas, por mais merecidas que sejam, afetam nossas mentes. É por isso que sorrimos quando os outros sorriem, que uma multidão de enlutados nos entristece e nos interessa ardentemente as batalhas alheias; todos esses sentimentos não são raiva, da mesma forma que o que obscurece nossa mente ao ver um naufrágio é tristeza, ou o que sentimos quando lemos como Aníbal, após a batalha de Canas, cercou as muralhas de Roma, pode ser chamado de medo. Todas essas são emoções de mentes que não gostam de ser movidas e não são paixões, mas rudimentos que podem se transformar em paixões. Da mesma forma, um soldado se mobiliza ao som de uma trombeta, embora possa estar vestido como um civil e no meio de uma paz profunda, e os cavalos do acampamento aguçam os ouvidos ao choque de armas. Diz-se que Alexandre, quando Xenofonte estava cantando, colocou a mão em suas armas.

3 Nenhuma dessas coisas que casualmente influencia a mente merece ser chamada de paixão: a mente, se assim posso expressá-lo, permite que as paixões atuem sobre si antes das formas. Uma paixão, portanto, consiste não em ser afetado pelas visões que nos são apresentadas, mas em ceder aos nossos sentimentos e seguir estes impulsos fortuitos:

para quem imagina aquela palidez, desabando em lágrimas, sentimentos de luxúria, suspiros profundos, súbitos piscar de olhos, e assim por diante, são sinais de paixão e traem o estado da mente, está enganado e não entende que estes são meros impulsos do corpo. Consequentemente, o mais bravo dos homens frequentemente fica pálido enquanto veste sua armadura; quando o sinal para a batalha é dado, os joelhos do soldado mais ousado tremem por um momento; o coração, mesmo de um grande general, pula em sua boca pouco antes de as linhas se chocarem, e as mãos e os pés, mesmo do orador mais eloquente, tornam-se rígidos e frios enquanto ele se prepara para começar seu discurso. A raiva não deve apenas mover-se, mas sair dos limites, sendo um impulso: agora, nenhum impulso pode ocorrer sem o consentimento da mente: pois não pode ser que devamos lidar com a vingança e o castigo sem que a mente esteja ciente deles. Um homem pode pensar que está ferido, pode desejar vingar seus erros, e então pode ser persuadido por uma razão ou outra a desistir de sua intenção e se acalmar: eu não chamo isso de raiva, é uma emoção da mente que está sob o controle da razão. A raiva é aquilo que vai além da razão e a leva consigo: portanto a primeira confusão da mente de um homem quando atingido pelo que parece um ferimento não é mais raiva do que o próprio ferimento aparente: é a corrida louca subsequente, que não apenas recebe a impressão da lesão aparente, mas age sobre ela como verdadeira, isto é, raiva, sendo uma excitação da mente para a vingança, que procede da escolha e da resolução deliberada. Nunca houve qualquer dúvida de que o medo produz a fuga e a raiva um ímpeto para a frente; considere, portanto, se você supõe que qualquer coisa pode ser buscada ou evitada sem a participação da mente.

【4】 Além disso, para que você saiba de que maneira as paixões começam, aumentam e ganham espírito, saiba que a primeira emoção é involuntária e é, por assim dizer, uma preparação para uma paixão e uma ameaça dela. O próximo é combinado com um desejo, embora não obstinado, como, por exemplo, "É meu dever vingar-me, porque fui ferido" ou "É justo que este homem seja punido, porque ele cometeu um crime." A terceira emoção já está além do nosso controle, porque se sobrepõe à razão e deseja vingar-se, não por ser seu dever, mas porque urge. Não somos capazes por meio da razão de escapar dessa primeira impressão na mente, mais do que podemos escapar daquelas coisas que mencionamos como ocorrendo ao corpo: não podemos evitar que os bocejos de outras pessoas nos façam bocejar: não podemos evitar piscar quando os dedos são repentinamente apontados para nossos olhos. A razão é incapaz de superar esses hábitos, que talvez possam ser enfraquecidos pela prática e pela vigilância constante: eles diferem de uma emoção que é trazida à existência e terminada por um ato mental deliberado.

【5】 Devemos também indagar se aqueles cuja crueldade não conhece limites e que se deliciam em derramar sangue humano ficam zangados quando matam pessoas por quem não foram feridos e que eles próprios acham que não lhes causaram nenhum dano, como foram Apolodoro ou Fálaris[4]. Isso não é raiva, é ferocidade: pois não dói porque recebeu injúria, mas está até disposto a receber injúria, desde que doa.

---

[4] Tirano de Akragas (hoje Agrigento) na Sicília, de aproximadamente 570 a 554 a.C. Fálaris era conhecido por sua extrema crueldade. Entre suas supostas atrocidades está o canibalismo: ele teria comido bebês em amamentação.

Não anseia infligir cicatrizes de chicote e mutilar corpos para vingar seus erros, mas para seu próprio prazer. O que então devemos dizer? Este mal tem origem na raiva; pois a raiva, por longo uso e indulgência, depois de ter feito um homem esquecer a misericórdia e expulsar todos os sentimentos de companheirismo humano de sua mente, finalmente se transforma em crueldade. Esses homens, portanto, riem, regozijam-se, divertem-se muito e são tão diferentes quanto possível no semblante dos homens irados, visto que a crueldade é o seu prazer. É dito que quando Aníbal viu uma trincheira cheia de sangue humano, ele exclamou: "Ó, que visão linda!" Quão mais bonito ele o teria achado, se tivesse enchido um rio ou um lago? Por que deveríamos nos perguntar se você deveria ficar encantado com essa visão mais que todas as outras, você que nasceu em um derramamento de sangue e cresceu em meio ao abate de uma criança? A Fortuna o seguirá e favorecerá sua crueldade por vinte anos, e mostrará a você em todos os lugares a visão que você ama. Você a verá em Trasimeno e em Canas, e por último em sua própria cidade de Cartago. Voluso, que não há muito tempo, sob o imperador Augusto, era procônsul da Ásia Menor, depois de um dia em que decapitou trezentas pessoas, desfilou entre os cadáveres com ar altivo, como se tivesse realizado alguma proeza grandiosa e notável, e exclamou em grego: "Que ação real!" O que este homem teria feito, se fosse realmente um rei? Isso não era raiva, mas uma doença maior e incurável.

[6] "A Virtude", argumenta nosso adversário, "deve ficar zangada com o que é vil, assim como aprova o que é honrado". O que deveríamos pensar se ele dissesse que a virtude deve ser mesquinha e grande; no entanto, é isso que ele quer dizer quando quer que ela seja elevada e abaixada, porque a alegria por uma boa ação é grande e gloriosa, enquanto a raiva pelo pecado de outra pessoa é vil e condiz com uma mente estreita: e a virtude nunca será culpada de imitar o vício enquanto ela o reprime. Ela considera a raiva merecedora de punição para si mesma, já que muitas vezes é ainda mais criminosa do que as faltas com as quais está zangada. Alegrar-se e estar contente é a função própria e natural da virtude: está tão abaixo de sua dignidade ficar com raiva, quanto lamentar. Agora, a tristeza é a companheira da raiva e toda raiva termina em tristeza, seja por remorso ou por fracasso. Em segundo lugar, se é parte do homem sábio ficar zangado com os pecados, ele ficará mais zangado quanto maiores eles forem, e muitas vezes ficará zangado: daí se segue que o homem sábio não só ficará zangado, mas irascível. No entanto, se não acreditamos que a raiva forte e frequente pode encontrar qualquer lugar na mente do homem sábio, por que não devemos libertá-lo totalmente dessa paixão? Pois não pode haver limite, se ele deve ficar com raiva na proporção do que cada homem faz: porque ele ou será injusto se estiver igualmente irritado com crimes desiguais, ou será o mais irascível dos homens, se arder em ira tão frequentemente quanto os crimes merecem sua raiva.

7 O que, também, pode ser mais indigno do homem sábio do que suas paixões dependerem da maldade de outros? Nesse caso, o grande Sócrates não poderá mais voltar para casa com a mesma expressão no semblante com que partiu. Além disso, se é dever do homem sábio ficar zangado com atos vis e ficar excitado e entristecido com os crimes, então não há nada mais infeliz do que o homem sábio, pois toda a sua vida será passada em raiva e tristeza. Que momento haverá em que ele não verá algo digno de culpa? Sempre que sair de casa, será obrigado a caminhar entre homens que são criminosos, avarentos, esbanjadores, perdulários e felizes em sê-lo: ele não pode voltar os olhos em nenhuma direção sem que encontrem algo que o choque. Ele vai desfalecer, se exigir raiva de si mesmo com a frequência necessária. Todos esses milhares que correm para os tribunais ao raiar do dia, quão mesquinhas são suas causas e quão mais vis seus defensores? Um impugna a vontade de seu pai, quando ele teria feito melhor para merecê-la; outro aparece como o acusador de sua mãe; um terceiro vem denunciar um homem por cometer o mesmo crime do qual ele mesmo é ainda mais notoriamente culpado. O juiz também é escolhido para condenar os homens por fazerem o que ele mesmo fez, e a audiência toma o lado errado, desencaminhada pela bela voz do suplicante.

8 Por que preciso me preocupar com casos individuais? Tenha certeza, ao ver o Fórum lotado com a multidão, o Saepta[5] fervilhando de gente, ou o grande Circo, em que a maior parte do povo encontra espaço para se mostrar de uma vez, que entre eles há tantos vícios quanto homens. Entre aqueles que você vê no traje da paz não há paz: por um pequeno lucro, qualquer um deles tentará a ruína de outro: ninguém pode ganhar nada, exceto pela perda do outro. Eles odeiam os afortunados e desprezam os desafortunados; suportam a contragosto os grandes e oprimem os pequenos; são inci-

---

[5] O Saepta Julia era um prédio no Campo de Marte de Roma, onde os cidadãos se reuniam para votar. O edifício foi concebido por Júlio César e dedicado por Marco Agripa em 26 a.C.

tados por diversos desejos; destroem tudo por causa de um pequeno prazer ou pilhagem; vivem como se estivessem em uma escola de gladiadores, lutando com as mesmas pessoas com as quais vivem: é como uma sociedade de feras, exceto que as feras são domesticadas umas com as outras e se abstêm de morder sua própria espécie, enquanto os homens se despedaçam e se empanturram uns dos outros. Eles diferem dos animais mudos apenas nisso, que os últimos são domesticados com aqueles que os alimentam, ao passo que a raiva dos primeiros ataca aquelas mesmas pessoas por quem foram criados.

9 O sábio nunca deixará de ficar zangado, se ele deixar, todo lugar está cheio de vícios e crimes. Mais mal é feito do que pode ser curado pelo castigo: os homens parecem engajados em uma vasta competição de maldade. A cada dia há maior ânsia de pecar e menos modéstia. Pondo de lado toda a reverência pelo que é melhor e mais justo, a luxúria corre para onde quer que ela ache conveniente, e os crimes não são mais cometidos furtivamente, eles acontecem diante de nossos olhos, e a maldade se tornou tão geral e fincou pé no peito de todos de tal modo que a inocência não é mais rara, mas não existe mais. Os homens infringem a lei individualmente ou alguns de cada vez? Não, eles surgem em todos os quadrantes ao mesmo tempo, como se obedecessem a algum sinal universal para eliminar as fronteiras do certo e do errado.

"O anfitrião não está a salvo dos hóspedes,
   nem de seu genro o sogro; raro é o amor entre irmãos;
     um homem ameaça de morte a esposa; e ela, ao marido;

madrastas preparam acônitos mortais;

E os filhos herdeiros se perguntam quando seus pais morrerão."

E quão pequena é essa parte dos crimes dos homens! O poeta não descreveu um povo dividido em dois campos hostis, pais e filhos colocados em lados opostos, Roma incendiada pela mão de um romano, tropas de ferozes cavaleiros percorrendo o país para rastrear os esconderijos dos proscritos, poços contaminados com veneno, pragas criadas por mãos humanas, trincheiras cavadas por crianças ao redor de seus pais sitiados, prisões lotadas, incêndios que consomem cidades inteiras, tiranias sombrias, tramas secretas para estabelecer despotismos e arruinar povos, e homens se vangloriando daqueles feitos que, enquanto foi possível reprimi-los, foram reputados como crimes – quero dizer estupro, libertinagem e luxúria... Acrescente-se a isso, atos públicos de má-fé nacional, tratados rompidos, tudo que não pode se defender levado como pilhagem pelos mais fortes, velhacarias, roubos, fraudes e renúncias de dívidas, como três de nossos tribunais atuais, não seriam suficientes para lidar com eles. Se você quer que o homem sábio fique tão zangado quanto a atrocidade dos crimes dos homens exige, ele não deve apenas se zangar, mas enlouquecer de raiva.

10 Você vai preferir pensar que não devemos ficar zangados com as falhas das pessoas; pois o que diremos de quem se zanga com os que tropeçam no escuro, ou com os surdos que não podem ouvir suas ordens, ou com as crianças, porque se esquecem de seus deveres e se interessam pelas brincadeiras e piadas bobas de seus companheiros? O que diremos se você ficar com raiva dos fracos por estarem doentes, por envelhecerem ou por ficarem fatigados? Entre os outros infortúnios da humanidade está o fato de que os intelectos dos homens são confusos, e eles não só podem evitar errar, mas gostam de errar. Para evitar ficar com raiva de indivíduos, você deve perdoar toda a massa, deve conceder perdão a toda a raça humana. Se você se zanga com homens jovens e velhos porque agem mal, ficará zangado também com as crianças, pois logo farão o mal. Alguém fica com raiva das crianças, que são muito jovens para compreender distinções? No entanto, ser um humano é uma desculpa maior e melhor do que ser uma criança. Assim nascemos, como criaturas sujeitas a tantas desordens da mente quanto do corpo; não estúpidas e lentas de raciocínio, mas fazendo mau uso de nossa agudeza de espírito, e levando uns aos outros ao vício por meio de nosso exemplo. Aquele que segue outros que começaram antes dele na estrada errada certamente é desculpável por ter vagado no caminho. A severidade de um general pode ser mostrada no caso de desertores individuais, mas quando um exército inteiro deserta, deve ser perdoado. O que põe fim à raiva do sábio? É o número de pecadores. Ele percebe como é injusto e perigoso ficar zangado com os vícios comuns a todos os homens. Heráclito, sempre que saía de casa e via ao seu redor tantos homens que viviam miseravelmente, ou melhor, parecendo viver miseravelmente, costumava chorar: tinha pena de todos aqueles que o encontravam alegres e felizes. Ele era de temperamento gentil, mas muito fraco – e ele mesmo era um desses por quem deveria ter chorado. Por outro lado, Demócrito nunca apareceu em público sem rir; tampouco as ocupações sérias dos homens lhe pareciam sérias. Que espaço há para a raiva? Tudo deveria nos levar às lágrimas ou ao riso. O sábio não ficará zangado com pecadores. Por que não? Porque ele sabe que ninguém nasce sábio, mas se torna: ele sabe que pouquíssimos sábios são produzidos em qualquer época, porque conhece perfeitamente as circunstâncias da vida humana. Ora, nenhum homem são fica zangado com a natureza: pois o que diríamos se um homem optasse por se surpreender com o fato de as frutas não estarem penduradas nos matagais de uma floresta, ou se maravilhar com arbustos e espinhos que não estão cobertos por alguma fruta útil? Ninguém fica zangado quando a natureza desculpa um defeito. O sábio, portanto, estando tranquilo e lidando abertamente com os erros, não um inimigo, mas um melhorador de pecadores, sairá todos os dias com o seguinte estado de espírito: "Muitos homens que me encontrarão são bêbados, lascivos, ingratos, gananciosos e excitados pelo frenesi da ambição." Ele verá tudo isso de maneira tão benigna quanto um médico vê seus pacientes. Quando o navio de um homem faz água abundantemente pelas rachaduras abertas, ele fica com raiva dos marinheiros ou do próprio navio? Não; em vez disso, ele tenta remediar: ele bloqueia um pouco a água, esgota outro tanto, fecha todos os buracos que pode ver e, com trabalho incessante, neutraliza os que estão fora de vista e que deixam entrar água no porão; nem relaxa seus esforços porque toda a água que ele bombeia corre para dentro novamente. Precisamos de uma luta prolongada contra males permanentes e prolíficos; não, de fato, para sufocá-los, mas simplesmente para impedir que nos subjuguem.

11

"A raiva", diz nosso oponente, "é útil porque evita o desprezo e porque assusta os homens maus". Agora, em primeiro lugar, se a raiva é forte em proporção às suas ameaças, é odiosa pela mesma razão que é terrível, e é mais perigoso ser odiado do que desprezado. Se, novamente, está sem força, está muito mais exposta ao desprezo e não pode evitar o ridículo: pois o que é mais evidente do que a raiva quando irrompe em delírios sem sentido? Além disso, porque algumas coisas são um tanto terríveis, não são por isso desejáveis; nem a sabedoria deseja que seja dito do homem sábio, como se diz de uma fera, que o medo que ele inspira é como uma arma sua. Por que, não temos medo de febre, gota, úlceras de consumpção? E há, por essa razão, algum bem nelas? não; por outro lado, são todas desprezadas e consideradas imundas e vis, e, por isso mesmo, temidas. Da mesma forma, a raiva é em si mesma hedionda e de forma alguma deve ser receada; ainda assim, é temida por muitos, assim como uma máscara hedionda é temida pelas crianças. Como podemos responder ao fato de que o terror sempre se volta àquele que o inspirou e que ninguém é temido quando está em paz? Neste ponto, é bom que você se lembre daquele verso de Labério[6], que, quando pronunciado no teatro durante o auge da guerra civil, chamou a atenção de todo o povo como se expressasse o sentimento nacional:

"Ele, a quem muitos temem, deve temer a muitos."

---

[6] Décimo Labério (105 - 43 a.C.), autor de mimos (farsas). Sêneca se refere a um episódio ocorrido entre o autor e Júlio César. Em 46 a.C., Júlio César ordenou que Labério atuasse em uma de suas próprias peças em um concurso público com o ator Público Siro (85 - 43 a.C.). Labério pronunciou um prólogo digno sobre a degradação imposta a ele pelos seus sessenta anos de vida e dirigiu várias alusões contundentes contra o ditador, aparentemente prevendo a morte de César ao dizer: Ele, a quem muitos temem, deve temer a muitos.

Assim a natureza ordenou que tudo o que se cresce causando medo aos outros não está livre do próprio medo. Como os leões ficam perturbados com o menor ruído! Quão excitados os mais ferozes dos animais ficam com sombras, vozes ou odores estranhos! Tudo o que é terror para os outros, temem também. Não pode haver razão, portanto, para qualquer homem sábio desejar ser temido, e ninguém precisa pensar que a raiva é algo vultoso porque causa terror, já que até as coisas mais desprezíveis são temidas, como, por exemplo, vermes nocivos cuja mordida é venenosa; e uma vez que um cordão com penas detém os maiores rebanhos de feras e os guia para as armadilhas, não é de admirar que, por seu efeito, deva ser chamado de "Assustador". Criaturas tolas se assustam com coisas tolas. O movimento de carruagens e a visão de suas rodas girando leva os leões de volta para sua jaula; os elefantes se assustam com os gritos dos porcos; e por isso também tememos a raiva assim como as crianças temem o escuro, ou as feras temem as penas vermelhas: não tem em si nada sólido ou ameaçador, mas afeta mentes débeis.

12

"A maldade", diz nosso adversário, "deve ser removida do sistema da natureza, se você deseja remover a raiva: nenhuma das duas coisas pode ser feita". Em primeiro lugar, é possível ao homem não ter frio, embora de acordo com o sistema da natureza possa ser inverno, nem sofrer de calor, embora seja verão, de acordo com o calendário. Ele pode estar protegido contra a época inclemente do ano por morar em um local adequado, ou pode ter treinado seu corpo de tal maneira que não sente nem calor nem frio.

Em seguida, inverta este ditado: "Você deve remover a raiva de sua mente antes de poder tomar virtude nela, porque vícios e virtudes não podem se combinar, e ninguém pode ao mesmo tempo ser um homem irado e um homem bom, mais do que ele pode estar doente e saudável". "Não é possível", diz ele, "remover totalmente a raiva da mente, nem a natureza humana admite isso". No entanto, não há nada tão duro e difícil que a mente do homem não possa superar e com o qual mesmo o estudo incessante não o tornará familiar, nem existem paixões tão ferozes e independentes que não possam ser domadas pela disciplina. A mente pode cumprir todas as ordens que der a si mesma: alguns conseguiram nunca sorrir, alguns se abstiveram do vinho, de ter relações sexuais ou mesmo de bebidas de todos os tipos. Alguns, que se contentam com poucas horas de descanso, aprenderam a observar por longos períodos sem se cansar. Os homens aprenderam a correr sobre as mais finas cordas bambas, mesmo quando inclinadas, a carregar fardos enormes, mal ao alcance da força humana, ou a mergulhar em profundidades enormes e se permitir permanecer no mar sem qualquer chance de respirar. Existem milhares de outras instâncias em que a aplicação venceu todos os obstáculos e provou que nada que a mente se propôs a suportar é difícil. Os homens que acabo de mencionar não obtêm recompensa ou não são dignos de sua aplicação incansável; pois que grande coisa um homem ganha ao aplicar seu intelecto para andar sobre uma corda bamba? Ou colocar grandes cargas sobre seus ombros? Ou para conseguir manter o sono longe de seus olhos? Ou chegar ao fundo do mar? E ainda assim seu trabalho paciente faz com que todas essas coisas ocorram com uma recompensa insignificante. Não deveríamos, então, pedir auxílio à paciência, nós que aguardamos tal prêmio, a calma ininterrupta de uma vida feliz[7]? Quão grande é a bênção de escapar da raiva, principal de todos os males, e com isso do frenesi, da ferocidade, da crueldade e da loucura, seus assistentes?

{13} Não há razão para que procuremos defender uma paixão como esta ou desculpar seus excessos, declarando-a útil ou inevitável. Que vício, de fato, há sem seus defensores? No entanto, não é por isso que você deve declarar que a raiva não seja passível de erradicação. Os males dos quais sofremos são curáveis e, como nascemos com uma tendência natural para o bem, a própria natureza nos ajudará se tentarmos consertar nossas vidas. Tampouco o caminho para a virtude é íngreme e acidentado, como alguns pensam que seja: pode ser alcançado em terreno plano. Não é uma história falsa que venho lhe contar, o caminho para a felicidade é fácil: você só entra nele com boa sorte e a boa ajuda dos deuses. É muito mais difícil fazer o que você está fazendo. O que é mais repousante do que uma mente em paz, e o que é mais trabalhoso do que a raiva? O que há mais no lazer do que a clemência, o que há mais nos negócios do que crueldade? A modéstia mantém o repouso enquanto o vício se sobrecarrega de trabalho. Em suma, a cultura de qualquer uma das virtudes é fácil, enquanto os vícios exigem uma grande despesa. A raiva deve ser removida de

---

[7] Os estoicos, assim como os filósofos epicuristas, céticos e cínicos, buscavam a ataraxia, a calma imperturbável diante de qualquer situação, boa ou má.

nossas mentes: mesmo aqueles que dizem que ela deve ser mantida débil admitem isto até certo ponto. Que seja eliminada por completo; não há nada a ganhar com isso. Sem ela, podemos acabar com o crime de maneira mais fácil e justa, punir os homens maus e corrigir suas vidas. O homem sábio cumprirá seu dever em todas as coisas sem a ajuda de qualquer paixão maligna, e não usará auxiliares que requeiram vigilância atenta para que não fujam de seu controle.

14 A raiva, então, nunca deve se tornar um hábito para nós, mas às vezes podemos fingir estar com raiva quando desejamos despertar as mentes embotadas daqueles a quem nos dirigimos, assim como despertamos cavalos que são lentos com aguilhões e tições. Devemos às vezes aplicar o medo a pessoas sobre as quais a razão não causa impressão. Ainda assim, ficar com raiva não tem mais utilidade do que lamentar ou ter medo. "O quê? Não surgem circunstâncias que nos provocam a raiva?" Sim: mas nessas horas, acima de todas as outras, devemos sufocar nossa ira. Tampouco é difícil conquistar o nosso espírito, visto que os atletas, que dedicam toda a sua atenção às suas partes mais baixas, no entanto são capazes de suportar golpes e dores, a fim de esgotar as forças do atacante, e não atacam quando se enfurecem, mas quando a oportunidade os convida. Diz-se que Pirro, o mais célebre treinador de competições de ginástica, costumava treinar seus alunos a não perderem a paciência, pois a raiva estraga sua ciência e enfoca apenas o modo como pode ferir, de modo que muitas vezes a razão aconselha paciência, enquanto a raiva aconselha vingança, e nós, que poderíamos ter sobrevivido aos nossos primeiros infortúnios, estamos expostos a outros piores. Alguns foram levados ao exílio pela impaciência de uma única palavra de desprezo, mergulharam nas mais profundas misérias porque não suportaram o mais insignificante mal em silêncio e trouxeram sobre si o jugo da escravidão porque eram orgulhosos demais para dar a menor parte da sua liberdade.

【15】 "Para que você tenha certeza", diz nosso oponente, "de que a raiva tem algo de nobre, por favor, olhe para as nações livres, como os germânicos e os citas, que são especialmente propensos à raiva". A razão disso é que intelectos robustos e ousados estão sujeitos à raiva antes de serem domados pela disciplina; pois algumas paixões envolvem-se apenas na melhor classe de disposições, da mesma forma que a boa terra, mesmo quando devastada, produz arbustos fortes, e são altas as árvores que se erguem sobre um solo fértil. Da mesma forma, disposições que são naturalmente ousadas produzem irritabilidade e, sendo quentes e ígneas, não têm qualidades mesquinhas ou triviais, mas sua energia é mal direcionada, como acontece com todos aqueles que sem treinamento vêm à frente apenas por suas vantagens naturais, cujas mentes, a menos que sejam postas sob controle, degeneram de um temperamento corajoso para hábitos de imprudência e ousadia temerária. "O quê? Não estão os espíritos mais brandos ligados a vícios mais gentis, como ternura de coração, amor e timidez?" Sim, e por isso muitas vezes posso apontar a você uma boa disposição pelos seus próprios defeitos. Contudo, nem por isso deixam de ser vícios. Além disso, todas as nações que são livres porque são selvagens, como leões ou lobos, não podem comandar mais do que podem obedecer, pois a força de seu intelecto não é civilizada, mas feroz e incontrolável. Agora, ninguém pode governar a menos que também seja capaz de ser governado. Consequentemente, o império do mundo quase sempre permaneceu nas mãos das nações que desfrutam de um clima mais ameno. Aqueles que moram perto do norte congelado têm temperamento incivilizado, como diz o poeta:

"Apenas no modelo de seus céus nativos."

16 Esses animais, insiste nosso oponente, que têm grande capacidade de raiva são considerados os mais generosos. Ele se engana quando apresenta criaturas que agem por impulso em vez da razão como padrões a serem seguidos pelos homens, porque no homem a razão ocupa o lugar do impulso. No entanto, mesmo com os animais, nem todos se beneficiam da mesma forma. A raiva é útil para os leões, a timidez para os cervos, a ousadia para os falcões, a fuga para as pombas. E se eu declarar que nem mesmo é verdade que os melhores animais são os mais sujeitos à raiva? Posso supor que os animais selvagens, que se alimentam da rapina, ficam melhor quanto mais zangados ficam; mas devo elogiar bois e cavalos que obedecem às rédeas por sua paciência. Que razão, entretanto, você tem para referir a humanidade a tais modelos miseráveis, quando você tem o universo e Deus, a quem só ele imita, por que só Ele o compreende? "Os homens mais irritáveis", diz ele, "são considerados os mais diretos de todos". Sim, porque são comparados com impostores e vigaristas e parecem simples porque são francos. Eu não deveria chamar tais homens de simples, mas descuidados. Damos esse título de "simples" a todos os tolos, glutões, esbanjadores e homens cujos vícios estão na superfície.

17

"Um orador", diz nosso oponente, "às vezes fala melhor quando está com raiva". Não é assim, mas quando ele finge estar com raiva, pois assim também os atores agitam o público com sua atuação, não quando estão realmente zangados, mas quando atuam bem como o homem zangado; e da mesma maneira, ao se dirigir a um júri ou a uma assembleia popular, ou em qualquer outra posição em que as mentes dos outros tenham de ser influenciadas a nosso bel-prazer, devemos fingir que sentimos raiva, medo ou pena antes de fazer com que os outros sintam, e muitas vezes a pretensão de paixão servirá ao que a própria paixão não poderia ter servido. "A mente que não sente raiva", diz ele, "é fraca". É verdade, se não houver nada mais forte do que a raiva para o sustentar. Um homem não deve ser ladrão nem vítima, nem terno nem cruel. O primeiro pertence a uma mente muito fraca, o último a uma mente muito dura. Que o homem sábio seja moderado e, quando as coisas tiverem que ser feitas com certa vivacidade, conclame a força, não a raiva, em seu auxílio.

18

Agora que já discutimos as questões propostas a respeito da raiva, passemos à consideração de seus remédios. Imagino que sejam dois: uma classe que evita que fiquemos zangados, o outra que evita que cometamos erros quando estamos zangados. Assim como acontece com o corpo, adotamos certo regime para nos manter saudáveis e usamos regras diferentes para trazer de volta a saúde quando a perdemos, da mesma forma devemos repelir a raiva de uma maneira e extingui-la de outra. Para que possamos evitá-la, certas regras gerais de conduta que se aplicam à vida de todos os homens devem estar presentes em nós. Podemos dividi-las nas que são úteis durante a educação dos jovens e na vida após a morte. A educação deve ser realizada com a maior e mais salutar assiduidade, pois é fácil moldar as mentes enquanto ainda estão tenras, mas é difícil extirpar os vícios que cresceram conosco.

19 Uma mente quente é naturalmente a mais propensa à raiva, pois como existem quatro elementos, consistindo em fogo, ar, terra e água, existem poderes correspondentes e equivalentes a cada um deles, a saber: quente, frio, seco e úmido. Ora, a mistura dos elementos é a causa das diversidades de terras e de animais, de corpos e de caráter, e nossas disposições se inclinam para um ou outro deles conforme a força de cada elemento prevalece em nós. Por isso chamamos algumas regiões de úmidas ou secas, quentes ou frias. As mesmas distinções se aplicam igualmente aos animais e à humanidade. Faz uma grande diferença a quantidade de umidade ou calor que um homem contém; seu caráter irá tomar parte de qualquer elemento que tenha maior participação nele. Um temperamento caloroso tornará os homens sujeitos à raiva; pois o fogo está cheio de movimento e vigor; uma mistura de frieza torna os homens covardes, pois o frio é lento e contraído. Por causa disso, alguns de nossos estoicos pensam que a raiva é excitada em nossos seios pela fervura do sangue em volta do coração. Na verdade, esse lugar é atribuído à raiva por nenhuma outra razão senão porque o peito é a parte mais quente de todo o corpo. Aqueles que têm mais umidade ficam irados lentamente, porque não têm calor à mão, mas este deve ser obtido pelo movimento; portanto a raiva de mulheres e crianças é mais aguda do que forte, e surge das provocações mais leves. Nas épocas áridas da vida, a raiva é violenta e poderosa, mas sem aumentar e pouco acrescentando a si mesma, porque, à medida que o calor se extingue, o frio toma seu lugar. Os velhos são irritados e cheios de queixumes, assim como os doentes e convalescentes, e todos cujo estoque de calor foi consumido pelo cansaço ou perda de sangue. Aqueles que são arrasados pela sede ou pela fome estão nas mesmas condições, como também aqueles cujo corpo é naturalmente exangue e desfalece por falta de dieta generosa. O vinho acende a raiva, porque aumenta o calor. De acordo com a disposição de cada homem, alguns se apaixonam quando estão muito bêbados, outros, quando estão ligeiramente bêbados. Nem há outra razão para que as pessoas de cabelos louros e pele rosada sejam excessivamente apaixonadas, visto que são naturalmente da cor que os outros assumem durante a raiva, pois seu sangue é quente e facilmente posto em movimento.

[20] Mas, assim como a natureza torna alguns homens sujeitos à raiva, há muitas outras causas que têm o mesmo poder da natureza. Alguns são trazidos a essa condição por doença ou lesão corporal, outros por trabalho árduo, vigilância prolongada, noites de ansiedade, anseios ardentes e amor; e tudo o mais

que é prejudicial ao corpo ou ao espírito inclina a mente perturbada a encontrar defeitos. Tudo isso, entretanto, é apenas o começo e as causas da raiva. O hábito da mente tem um poder muito grande e, se for severo, aumenta a desordem. Quanto à natureza, é difícil alterá-la, nem podemos mudar a mistura dos elementos que se formou definitivamente no nosso nascimento, mas o conhecimento estará tão longe de servir, que devemos manter o vinho fora do alcance dos homens de temperamento quente, que Platão pensa que também deveria ser proibido aos meninos, para que o fogo não se tornasse mais forte. Nem devem tais homens ser superalimentados: pois se assim for, seus corpos irão inchar e suas mentes irão inchar com eles. Esses homens devem fazer exercício, evitando, entretanto, o cansaço, a fim de que seu calor natural seja diminuído, mas não extinto, e seu excesso de espírito ardente possa ser dissipado. Os jogos também são úteis para o prazer moderado, aliviam a mente e a levam a um equilíbrio adequado. Com aqueles temperamentos que tendem à umidade, ou secura e rigidez, não há perigo de raiva, mas há medo de vícios maiores, como covardia, morosidade, desespero e desconfiança. Tais disposições, portanto, devem ser suavizadas, atendidas e restauradas à alegria, e visto que devemos fazer uso de remédios diferentes para a raiva e para o mau humor, e esses dois vícios requerem não apenas modos de tratamento diferentes e absolutamente opostos, vamos sempre atacar aquele que está ganhando domínio.

21 Asseguro-lhe que é de grande utilidade para os meninos que eles sejam bem-educados, embora seja difícil regular sua educação, porque é nosso dever ter o cuidado de não nutrir neles o hábito da raiva, nem enfraquecer seu espírito. Isso requer vigilância cuidadosa, pois ambas as qualidades, tanto aquelas que devem ser encorajadas quanto as que devem ser verificadas, são alimentadas pelas mesmas coisas; e mesmo um observador cuidadoso pode ser enganado por sua semelhança. O espírito de um menino é expandido pela liberdade e deprimido pela escravidão: ele se eleva quando elogiado e é levado a conceber grandes expectativas de si mesmo: mas esse mesmo tratamento produz arrogância e agilidade de temperamento: devemos, portanto, guiá-lo entre esses dois extremos, usando o freio em um momento e a espora em outro. Ele não deve ser submetido a nenhum tratamento servil ou degradante; nunca deve implorar abjetamente por nada, nem deve obter nada mendigando; que ele o receba pelo seu próprio bem, por seu bom comportamento passado ou por suas promessas de boa conduta futura. Nas disputas com seus camaradas, não devemos permitir que se enfureça ou enlouqueça de raiva: vejamos que seja amigo daqueles com quem luta, para que na própria luta aprenda a não querer magoar seu antagonista, mas conquistá-lo. Sempre que ganhou o dia ou fez algo louvável, devemos permitir que desfrute de sua vitória, mas não se apressar em arrebatamentos de prazer: pois a alegria leva à exultação, e a exultação leva à presunção e excesso de autoestima. Devemos permitir-lhe um pouco de relaxamento, mas não ceder à ociosidade e preguiça, e devemos mantê-lo muito além da influência do luxo, pois nada torna as crianças mais sujeitas à raiva do que uma educação suave e afetuosa, de modo que quanto mais mimados os filhos, e quanto mais liberdade é dada aos órfãos, mais eles são corrompidos. Aquele a quem nada é negado, não suportará a rejeição, cuja mãe ansiosa enxuga sempre as suas lágrimas, cujo pedagogo é obrigado a pagar pelas suas faltas. Você não vê como a raiva de um homem se torna mais violenta à medida que ele sobe de posição? Isso se mostra especialmente naqueles que são ricos e nobres, ou em posição privilegiada, quando o vendaval favorável desperta em suas mentes todas as paixões mais vazias e triviais. A prosperidade fomenta a raiva, quando os ouvidos orgulhosos de um homem são cercados por uma multidão de bajuladores, dizendo: "Vai deixar ele te responder? Você não age de acordo com a sua dignidade, você se rebaixa." E assim por diante, com toda a linguagem a que dificilmente se pode resistir, mesmo mentes saudáveis e, originalmente, com bons princípios. A lisonja, portanto, deve ser mantida bem longe das crianças. Deixe a criança ouvir a verdade e às vezes temê-la: deixe-a sempre reverenciá-la. Que ela se levante na presença de seus mais velhos. Que não obtenha nada voando em uma paixão: que a ela seja dado quando está quieta o que foi recusado quando ela clamou por isso: deixe-a ver, porém não permita que faça uso da riqueza de seu pai; que seja reprovada por seus erros. Será vantajoso fornecer professores e pedagogos moderados aos meninos: o que é brando e informe se apega ao que está próximo e toma sua forma: os hábitos dos jovens reproduzem os de suas amas e pedagogos. Certa vez, um menino, criado na casa de Platão, foi para a casa de seus pais e, ao ver seu pai gritando tomando de paixão, disse: "Nunca vi ninguém na casa de Platão agindo assim." Não tenho dúvidas de que ele aprendeu a imitar seu pai mais cedo do que a imitar Platão. Acima de tudo, que sua comida seja escassa, seu traje não seja caro e semelhante ao de seus companheiros: se você começar por colocá-lo no mesmo nível de muitos outros, não ficará zangado quando alguém for comparado a ele.

22 Esses preceitos, porém, se aplicam aos nossos filhos: em nós mesmos o acidente do nascimento e nossa educação não admitem mais erros ou conselhos; devemos lidar com o que se segue. Agora, devemos lutar contra as primeiras causas do mal: a causa da raiva é a crença de que estamos feridos. Esta crença, portanto, não deve ser levada em consideração. Não devemos ficar furiosos, mesmo quando a injúria parece aberta e distinta, pois algumas coisas falsas têm aparência de verdade. Devemos sempre permitir que algum tempo passe, pois o tempo revela a verdade. Que nossos ouvidos não sejam facilmente emprestados às calúnias. Vamos saber e ficar em guarda contra essa falha da natureza humana, que estejamos dispostos a acreditar no que não queremos ouvir e evitar ficarmos com raiva antes de formarmos nossa opinião. O que eu devo dizer? Somos influenciados não apenas por calúnias, mas por suspeitas, e, por conta do olhar e do sorriso dos outros, podemos ficar furiosos com pessoas inocentes porque colocamos a pior interpretação nisso. Devemos, portanto, pleitear a causa dos ausentes contra nós mesmos, e manter nossa raiva em suspenso, pois uma punição que tenha sido adiada ainda pode ser infligida, mas uma vez infligida não pode ser revogada.

23 Todos conhecem a história do tiranicida que, sendo pego antes de cumprir sua tarefa e torturado por Hípias para fazê-lo trair seus cúmplices, nomeou os amigos do tirano que o cercavam e todos a quem sabia que a segurança do tirano protegia com especial cuidado. Quando o tirano ordenou que cada homem fosse morto conforme ele o nomeava, por fim o homem, sendo questionado se alguém mais permanecia, disse: "Você fica sozinho, pois não deixei vivo ninguém que o queria bem." A raiva fez com que o tirano ajudasse o assassino e abatesse seus guardas com sua própria espada. Quão mais esperto foi Alexandre que, depois de ler a carta de sua mãe avisando-o para tomar cuidado com o veneno que seria administrado por seu médico, Filipe, ainda assim bebeu sem desanimar o remédio que o médico lhe deu! Ele sentia mais confiança em seu amigo. Considerou que seu amigo era inocente e merecia provar inocência com sua conduta. Eu louvo Alexandre por fazer isso ainda mais porque ele era, mais que todos os homens, propenso à raiva; mas quanto mais rara a moderação entre os reis, mais ela merece ser elogiada. O grande Caio César, que se revelou um conquistador tão misericordioso na guerra civil, fez a mesma coisa; ele queimou um pacote de cartas endereçadas a Cneu Pompeu por pessoas que se pensava serem neutras ou do outro lado. Embora nunca tenha sido violento em sua raiva, ele preferiu se desfazer das cartas em seu poder a ficar com raiva. Ele pensava que a maneira mais gentil de perdoar cada um era ignorar qual tinha sido sua ofensa.

24 A prontidão para acreditar no que ouvimos causa grande dano; muitas vezes nem devemos ouvir, porque em alguns casos é melhor ser enganado do que suspeitar de um engano. Devemos libertar nossas mentes da suspeita e da desconfiança, as causas mais indignas da raiva. "A saudação deste homem estava longe de ser civilizada; aquele não receberia meu beijo; um encurtou uma história que eu havia começado a contar; outro não me convidou para jantar;

outro parecia me ver com aversão." A suspeita nunca faltará: o que queremos é franqueza e uma interpretação gentil das coisas. Não acreditemos em nada, a menos que se imponha à nossa vista e seja inconfundível, e nos reprovemos por estarmos muito dispostos a acreditar, sempre que nossas suspeitas se revelem infundadas, pois essa disciplina[8] nos tornará habitualmente lentos para acreditar no que ouvimos.

25

Outra consequência disso será que não nos exasperaremos com as menores e mais desprezíveis ninharias. É mera loucura perder a paciência porque um escravo não é rápido, porque a água que vamos beber está morna ou porque o nosso leito está desarrumado ou a nossa mesa posta de maneira descuidada. Um homem deve estar em um péssimo estado de saúde se ele se esquiva de um sopro suave de vento; seus olhos devem estar enfermos se ficarem angustiados ao ver roupas brancas; ele deve estar dominado pela devassidão se sentir dor ao ver outro homem trabalhar. Diz-se que houve um certo Mindirides, cidadão de Síbaris, que, um dia, vendo um homem cavando e brandindo vigorosamente uma enxada, queixou-se de que a visão o cansava e proibiu o homem de trabalhar onde pudesse vê-lo. O mesmo homem queixou-se de ter sofrido com as folhas de rosa sobre as quais se deitou. Quando os prazeres corrompem o corpo e a mente, nada parece suportável, não porque seja difícil, mas porque aquele que o suporta é mole, pois por que deveríamos ser levados ao frenesi por alguém tossindo e espirrando, ou por uma

---

[8] No contexto de outras tradições de sabedoria, como o budismo, por exemplo, o termo "disciplina" equivaleria à "prática".

mosca que não foi expulsa com os devidos cuidados, ou por um cachorro à nossa volta, ou por uma chave caindo da mão de um servo descuidado? Será que alguém cujos ouvidos estão angustiados com o barulho de um banco sendo arrastado pelo chão será capaz de suportar com a mente serena a linguagem rude da contenda partidária e o abuso que os oradores do Fórum ou do Senado infligem a seus oponentes? Será que aquele que está zangado com seu escravo por preparar mal sua bebida será capaz de suportar a fome ou a sede de uma longa marcha no verão? Nada, portanto, nutre mais a raiva do que o luxo excessivo e insatisfeito: a mente deve ser calejada por um tratamento rude, para não sentir nenhum golpe que não seja forte.

26 Estamos com raiva, seja dos que podem, como dos que não podem nos ferir. À última classe pertencem algumas coisas inanimadas, como um livro, que muitas vezes jogamos fora quando está escrito com letras pequenas demais para lermos, ou que rasgamos quando está cheio de erros, ou roupas que destruímos porque não gostamos delas. Que tolice ficar zangado com coisas como essas, que não merecem nem sentem nossa raiva! "Mas é claro que são seus criadores que realmente nos afrontam." Eu respondo que, em primeiro lugar, muitas vezes ficamos com raiva antes de deixar essa distinção clara em nossas mentes e, em segundo lugar, talvez até mesmo os criadores possam apresentar algumas desculpas razoáveis: um deles, quem sabe, não poderia torná-los melhor do que fez, e não é por desrespeito a você que ele não é hábil em seu ofício; outro pode ter feito seu trabalho sem qualquer intenção de insultá-lo; e, finalmente, o que pode ser mais louco do que descarregar sobre coisas o mal-estar que se acumulou contra as pessoas? No entanto, assim como é o ato de um louco ficar com raiva de objetos inanimados, também o é ficar com raiva de animais estúpidos, os quais não podem nos fazer mal, porque não são capazes de formar um propósito – e não podemos considerar nada errado, a menos que seja feito intencionalmente. Eles são, portanto, capazes de nos ferir, assim como uma espada ou uma pedra o podem fazer, mas não são capazes de nos fazer mal. No entanto, alguns homens se consideram insultados quando os mesmos cavalos, dóceis com um cavaleiro, ficam inquietos com outro, como se fosse por escolha deliberada – e não o hábito e a habilidade de manuseio – que certos cavalos são mais facilmente manejados por determinados homens do que por outros. E como é tolice ficar zangado com eles, também o é ficar zangado com crianças e com homens que têm pouco mais juízo do que crianças. Mesmo com todos os pecados, diante de um juiz justo, a ignorância seria uma desculpa tão eficaz quanto a inocência.

27 Existem algumas coisas que não podem nos ferir e cujo poder é exclusivamente benéfico e salutar, como, por exemplo, os deuses imortais, que não desejam nem podem fazer mal, pois seu temperamento é naturalmente gentil e tranquilo e não é mais provável que prejudiquem os outros do que a si próprios. Pessoas tolas que não conhecem a verdade os consideram responsáveis pelas tempestades no mar, chuvas excessivas e longos invernos, ao passo que esses fenômenos pelos quais sofremos ou nos beneficiamos acontecem sem qualquer referência a nós: não é por nós que o universo faz com que o verão e o inverno se sucedam. Eles têm uma lei própria, segundo a qual suas funções divinas são desempenhadas. Pensamos muito em nós mesmos, quando imaginamos que somos dignos de ter tais revoluções prodigiosas efetuadas por nós. Então, também, nenhuma dessas coisas acontecem a fim de nos prejudicar, pelo contrário, todas elas tendem a nosso benefício. Eu disse que há algumas coisas que não podem nos ferir e outras que não o querem. À última classe pertencem bons homens com autoridade, bons pais, professores e juízes, a cujas punições devemos nos submeter com o mesmo espírito com que passamos pela faca do cirurgião, abstinência de comida e coisas semelhantes que nos prejudicam para nosso benefício. Suponha que estejamos sendo punidos; vamos pensar não apenas no que sofremos, mas no que temos feito: vamos nos sentar para julgar nossa vida passada. Desde que estejamos dispostos a dizer a nós mesmos a verdade, certamente decidiremos que nossos crimes merecem uma medida mais difícil do que a que recebemos.

28 Se desejamos ser juízes imparciais de tudo o que acontece, devemos primeiro nos convencer de que nenhum de nós é imaculado, pois é disso que procede a maior parte de nossa indignação. "Eu não pequei; eu não fiz nada de errado." Em vez disso, diga que você não admite ter feito nada de errado. Ficamos enfurecidos por sermos reprovados, seja por repreensão ou por castigo verdadeiro, embora estejamos pecando naquele exato momento, acrescentando insolência e obstinação às nossas ações erradas. Quem pode declarar que não infringiu nenhuma lei? Mesmo que haja tal homem, que inocência limitada é, simplesmente, ser inocente pela letra da lei. Quão mais longe as regras do dever se estendem do que as da lei! Quantas coisas que não se encontram no livro de estatutos são exigidas por sentimento filial, bondade, generosidade, equidade e honra? No entanto, não somos capazes de nos garantir mesmo que caiamos nessa primeira definição mais estreita de inocência: fizemos o que estava errado, pensamos no que estava errado, desejamos o que estava errado e encorajamos o que estava errado. Em alguns casos, permanecemos inocentes apenas porque não tivemos sucesso. Quando pensarmos nisso, tratemos mais justamente os pecadores, e acreditemos que aqueles que nos repreendem estão certos. Em qualquer caso, não vamos ficar com raiva de nós mesmos (pois com quem não estaremos irados, se estivermos com raiva mesmo de nós mesmos?) e muito menos com os deuses, pois tudo o que sofremos nos sobrevém, não por qualquer ordem deles, mas pela lei comum a toda a carne. "Mas doenças e dores nos atacam." Bem, as pessoas que vivem em uma casa de loucos devem ter alguma maneira de escapar dela. Alguém dirá que falou mal de você: pense se você não falou primeiro mal daquela pessoa; pense em quantas pessoas você mesmo falou mal. Não vamos, eu digo, supor que outros estão nos fazendo um mal, mas estão retribuindo o que fizemos, que alguns estão agindo com boas intenções, alguns sob compulsão, alguns por ignorância, e vamos acreditar que mesmo aquele que faz isso intencionalmente e com conhecimento de causa não nos prejudicou meramente por nos prejudicar, mas foi levado a fazê-lo pela atração de dizer algo espirituoso, ou fez o que quer que tenha feito não por rancor contra nós, mas porque ele próprio não poderia não ter sucesso a menos que nos fizesse retroceder. Muitas vezes ficamos ofendidos com a bajulação, mesmo quando ela está sendo dirigida a nós. Ainda assim, quem quer que se lembre de quantas vezes ele próprio foi vítima de suspeita imerecida, quantas vezes a Fortuna deu ao seu verdadeiro servidor uma aparência de malfeitor, quantas pessoas ele começou odiando e terminou amando, será capaz de evitar ficar com raiva imediatamente, em especial se ele silenciosamente disser a si mesmo quando cada ofensa for cometida: "Eu mesmo fiz isso." Onde, entretanto, você encontrará um juiz tão imparcial? O mesmo homem que deseja a esposa de todos e pensa que se uma mulher pertencer a outra pessoa isto é razão suficiente para adorá-la, não permitirá que ninguém olhe para sua própria esposa. Nenhum homem espera a fidelidade tão rígida quanto um traidor; o próprio perjuro vinga-se de quem quebra sua palavra; o advogado mesquinho fica muito indignado com uma ação que está sendo movida contra ele; o homem que é negligente com sua própria castidade não suporta qualquer falta de seus escravos. Temos os vícios de outros homens diante de nossos olhos, e os nossos próprios, nas costas. Assim é com um pai que, pior que seu filho, culpa este por dar banquetes extravagantes e desaprova o menor sinal de luxo em outro, embora ele costume não estabelecer limites em seu próprio caso; portanto, os déspotas estão zangados com os homicídios, e os roubos são punidos por aqueles que saquearam os templos. Grande parte da humanidade não está irada com os pecados, mas com os pecadores. O respeito a nós mesmos nos tornará mais moderados, se nos indagarmos: "Já cometemos algum crime desse tipo? Já caímos nesse tipo de erro? É do nosso interesse que condenemos essa conduta?"

{29} O maior remédio para a raiva é o adiamento: implore à raiva que lhe conceda isso no início, não para perdoar a ofensa, mas para que possa formar um julgamento correto sobre ela. Se a ira demorar, chegará a um fim. Não tente reprimir tudo de uma vez, pois seus primeiros impulsos são violentos; arrancando suas partes, removeremos o todo. Ficamos zangados com algumas coisas que soubemos de segunda mão e com outras que ouvimos ou vemos. Agora, devemos ser lentos para acreditar no que nos é dito. Muitos contam mentiras para nos enganar, e outros porque eles próprios estão enganados. Alguns procuram ganhar nosso favor por meio de falsas acusações e inventam erros para que pareçam zangados por tê-los sofrido. Um homem mente por despeito, para colocar amigos de confiança em desacordo; alguns porque são desconfiados e desejam folgar e vigiar de uma distância segura aqueles que influenciaram pelos ouvidos. Se você estivesse prestes a dar uma sentença no tribunal sobre uma quantia muito pequena de dinheiro, não aceitaria nada como provado sem uma testemunha, e uma testemunha não contaria nada exceto por juramento. Você permitiria que ambos os lados fossem ouvidos; dar-lhes-ia tempo: não abordaria o assunto de uma só vez, porque quanto mais frequentemente for tratado, mais distintamente a verdade aparece. E você condena seu amigo de imediato? Fica zangado com ele antes de ouvir sua história, antes de tê-lo interrogado, antes que ele possa saber quem é seu acusador ou o de que é acusado. Por que, então, agora mesmo, no caso que você acabou de tentar, ouviu o que foi dito de ambos os lados? Este mesmo homem que denunciou seu amigo não dirá mais nada se for obrigado a provar o que diz. "Você não precisa", disse ele, "apresentar-me como testemunha; se for apresentado, negarei o que disse; a menos que você me desculpe de aparecer, eu nunca direi nada a você." Ao mesmo tempo, ele o estimula e se retira da contenda e da batalha. O homem que não lhe diz nada, exceto em segredo, dificilmente lhe dirá alguma coisa. O que pode ser mais injusto do que acreditar em segredos e zangar-se abertamente?

30 Algumas ofensas nós mesmos testemunhamos: nestes casos, examinemos a disposição e o propósito do ofensor. Talvez seja uma criança: desculpemo-la pela sua juventude, ela não sabe se está fazendo mal; ou é o pai: ele prestou serviços tão importantes que ganhou o direito até mesmo para cometer erros – ou talvez essa mesma ofensa seja seu principal mérito; ou é uma mulher: bem, ela cometeu um erro. O homem fez isso porque foi ordenado a fazê-lo. Quem, a não ser uma pessoa injusta, pode ficar zangada com o que é feito sob compulsão? Você o feriu: bem, não há mal em sofrer a dor que você foi o primeiro a infligir. Suponha que seu oponente seja um juiz: então você deve adotar a opinião dele em vez da sua própria; ou que ele é um rei: de modo que, se ele punir o culpado, ceda a ele porque ele é justo, e se ele punir o inocente, ceda a ele porque ele é poderoso. Suponha que seja um animal estúpido ou tão estulto quanto um animal néscio: se você se zangar com ele, você tornar-se-á igual a ele. Suponha que seja uma doença ou um infortúnio: terá menos efeito sobre você se o suportar calmamente; ou que seja um deus: então você perderia seu tempo ficando com raiva dele tanto quanto se rezasse para que ele ficasse irado com outra pessoa. É um bom homem que fez mal a você? Não acredite: ele é uma pessoa má? Não se surpreenda com isso; ele vai pagar a outra pessoa a falta que deve a você – na verdade, por seu pecado, ele mesmo já se puniu.

[31] Existem, como já afirmei, dois casos que produzem raiva: primeiro, quando parece que recebemos uma injúria, sobre o que já foi dito o suficiente, e, em segundo lugar, quando parece que fomos tratados injustamente: isso deve agora ser discutido. Os homens pensam que algumas coisas são injustas porque não deveriam sofrê-las e outras porque não esperavam sofrê-las: pensamos que o inesperado está abaixo de nossos méritos. Consequentemente, ficamos especialmente entusiasmados com o que nos sobrevém de forma contrária à nossa esperança e expectativa, e é por isso que nos irritamos com as menores ninharias em nossos próprios assuntos domésticos, e porque chamamos o descuido de nossos amigos de prejuízo deliberado. Como é, então, pergunta nosso oponente, que ficamos irritados com os ferimentos infligidos por nossos inimigos? É porque não esperávamos essas lesões em particular, ou, pelo menos, não em uma escala tão extensa. Isso é causado por nosso excessivo amor-próprio: pensamos que devemos permanecer intocados até mesmo por nossos inimigos: cada homem traz em seu peito a mente de um déspota e está disposto a cometer excessos, mas não quer se submeter. Portanto, é a ignorância ou a arrogância que nos irrita: ignorância dos fatos comuns, pois o que há para admirar em homens maus cometendo más ações? Que novidade há em seu inimigo o machucando, seu amigo brigando com você, seu filho agindo mal ou seu servo fazendo algo errado? Fábio costumava dizer que a desculpa mais vergonhosa que um general poderia dar era "Eu não pensei". Acho que é a desculpa mais vergonhosa que um homem pode dar. Pense em tudo, espere tudo: mesmo com homens de bom caráter, algo estranho vai surgir: a natureza humana produz mentes que são traiçoeiras, ingratas, gananciosas e ímpias: quando você está considerando qual pode ser a moral de qualquer homem, pense no que a humanidade é. Quando você estiver se divertindo, fique especialmente alerta: quando tudo lhe parecer tranquilo, certifique-se de que a travessura não está ausente, mas apenas adormecida. Sempre acredite que algo acontecerá para ofendê-lo. Um piloto nunca desfralda todas as suas velas, pois estará pronto para soltar ou recolher as velas conforme a necessidade. Pense, acima de tudo, que baixo e odioso é o poder de fazer o mal, e quão antinatural no homem, por cuja bondade até mesmo animais ferozes são domesticados. Veja como os touros rendem seus pescoços ao jugo, como os elefantes permitem que meninos e mulheres dancem ilesos nas suas costas, como as cobras deslizam inofensivamente sobre nossos seios e entre nossos copos, como dentro de suas tocas, ursos e leões se submetem a serem tratados com bocas complacentes e feras bajulam seu mestre: coremos por termos trocado hábitos com feras. É um crime ferir o próprio país. Por isso, é um crime ferir qualquer um dos nossos compatriotas, pois ele faz parte do nosso país; se o todo é sagrado, as partes também devem ser sagradas. Portanto, também é um crime ferir qualquer homem, pois ele é seu concidadão em um Estado maior. E se as mãos quisessem machucar os pés? ou os olhos machucarem as mãos?

Como todos os membros agem em uníssono, porque é do interesse de todo o corpo manter cada um deles seguro, os homens devem poupar uns aos outros, porque nasceram para a sociedade. O vínculo da sociedade, entretanto, não pode existir a menos que proteja e ame todos os seus membros. Não devemos nem mesmo destruir víboras e cobras d'água e outras criaturas cujos dentes e garras são perigosos, se formos capazes de domesticá-las como fazemos com outros animais, ou para evitar que nos ofereçam perigo: nem devemos, portanto, ferir um homem porque ele errou, mas para que ele não faça o mal, e nossa punição deve sempre olhar para o futuro e nunca para o passado, porque é infligida com um espírito de precaução, não de raiva: se todos que tem uma disposição criminosa e perversa fossem punidos, ninguém escaparia da punição.

32 "Mas a raiva possui um certo prazer próprio e é doce retribuir a dor que você sofreu." De jeito nenhum; não é honroso retribuir injúrias com injúrias, da mesma forma que retribuir benefícios com benefícios. Neste último caso, é uma pena ser conquistado; no primeiro é uma pena conquistar. Vingança e retaliação são palavras que os homens usam e até pensam ser justas, mas não diferem muito das más ações, exceto na ordem em que são feitas: aquele que torna dor por dor tem mais desculpa para seu pecado; isso é tudo. Alguém que não conhecia Marco Cato bateu nele no banho público em sua ignorância, pois quem o teria ferido conscientemente? Mais tarde, quando estava se desculpando, Cato respondeu: "Não me lembro de ter sido atingido". Ele achou melhor ignorar o insulto do que vingá-lo. Você pergunta: "Nenhum dano aconteceu àquele homem por sua insolência?" Não, mas muito melhor, ele conheceu Cato. É parte de uma grande mente desprezar os erros cometidos contra ela; a forma mais desdenhosa de vingança é não considerar o adversário sobre o qual vale a pena se vingar. Muitos levam os pequenos ferimentos muito mais a sério do que o necessário, vingando-os: aquele homem é grande e nobre, como um grande animal selvagem, e ouve impassível os pequeninos malditos que latem para ele.

33 "Somos tratados", diz nosso oponente, "com mais respeito se nos vingarmos de nossos ferimentos." Se usamos a vingança apenas como remédio, vamos usá-la sem raiva, e não consideremos a vingança agradável, mas útil: no entanto, muitas vezes é melhor fingir não ter sofrido um dano do que vingá-lo. Os erros dos poderosos não devem apenas ser suportados, mas também encarados com um semblante alegre: eles repetirão o erro se pensarem que o infligiram. Esta é a pior característica das mentes tornadas arrogantes pela prosperidade, elas odeiam aqueles a quem feriram. Todos conhecem o ditado do velho cortesão que, quando alguém lhe perguntou como ele havia alcançado a rara distinção de viver na corte até atingir a velhice, respondeu: "Recebendo erros e retribuindo graças por eles." Frequentemente, está longe de ser conveniente vingar nossos erros, tampouco adianta admiti-los. Caio César, ofendido com as roupas elegantes e o cabelo bem penteado do filho do pastor, um distinto cavaleiro romano, o mandou para a prisão. Quando o pai implorou para que seu filho não sofresse nenhum dano, Caio, como se lembrado por isso de matá-lo, ordenou que ele fosse executado, mas, a fim de mitigar sua brutalidade ao pai, o convidou naquele mesmo dia para jantar. O pastor veio com um semblante que não traiu nenhuma má vontade. César prometeu-lhe uma taça de vinho e mandou um homem vigiá-lo. A infeliz criatura passou por sua parte, sentindo-se como se estivesse bebendo o sangue de seu filho: o imperador mandou-lhe um pouco de perfume e uma guirlanda, e deu ordens para vigiar se ele os usava: ele o fez. No mesmo dia em que ele havia enterrado, não, no qual ele nem mesmo havia enterrado seu filho, ele se sentou como um entre cem convidados e, velho e gotoso como era, bebeu a uma quantidade que teria sido dificilmente decente no aniversário de uma criança; ele não derramou nenhuma lágrima; ele não permitiu que sua dor se traísse ao menor sinal; ele jantou como se suas súplicas tivessem ganhado a vida de seu filho. Você me pergunta por que ele fez isso? Ele tinha outro filho. O que Príamo[9] fez na Ilíada? Ele não escondeu sua ira e abraçou os joelhos de Aquiles? Não levantou ele aos lábios aquela mão mortal, manchada com o sangue de seu filho, e jantou com seu assassino? Verdade! Mas não havia perfumes e guirlandas, e seu feroz inimigo o encorajou com muitas palavras suaves para comer, para não drenar taças enormes com um guarda de pé sobre ele para ver o que ele fazia. Tivesse ele apenas temido por si mesmo, o pai teria tratado o tirano com desprezo: mas o amor

---

[9] Príamo, rei de Troia, foi ao acampamento dos gregos implorar que Aquiles devolvesse o cadáver do filho, Heitor, morto em combate singular por Aquiles, para que ele pudesse oferecer um funeral digno a Heitor.

por seu filho extinguiu sua raiva. Ele merecia a permissão do imperador para deixar o banquete e recolher os ossos de seu filho, mas, enquanto isso, com aquela gentileza de jovem educado, o imperador nem mesmo permitiu que ele fizesse isso, mas atormentou o velho com convites frequentes para beber, aconselhando-o assim a aliviar suas tristezas. Ele, por outro lado, parecia estar de bom humor e ter esquecido o que tinha acontecido naquele dia: ele teria perdido seu segundo filho se tivesse se mostrado um hóspede inaceitável para o assassino de seu primogênito.

{34} Devemos, portanto, evitar a raiva, quer aquele que nos provoca esteja no mesmo nível de nós mesmos, ou acima de nós, ou abaixo de nós. Uma competição com um igual é uma questão incerta, com o superior é loucura e com o inferior é desprezível. Cabe a um homem mesquinho e miserável virar e morder o mordedor. Até os ratos e as formigas mostram os dentes se você colocar a mão neles, e todas as criaturas fracas pensam que se machucam se forem tocadas. Tornar-nos-á mais amenos lembrar-nos de quaisquer serviços que aquele com quem estamos zangados possa nos ter prestado e deixar que seus méritos compensem sua ofensa. Vamos também refletir sobre quanto crédito a história de nosso perdão nos conferirá, quantos homens podem se tornar amigos valiosos pelo perdão. Uma das lições que a crueldade de Sila nos ensina é não ficar com raiva dos filhos de nossos inimigos, sejam eles públicos ou privados, pois ele levou os filhos dos proscritos ao exílio. Nada é mais injusto do que alguém herdar as brigas de seu pai. Sempre que relutamos em perdoar alguém, pensemos se seria vantajoso para nós que todos os homens fossem inexoráveis. Aquele que se recusa a perdoar, quantas vezes pediu perdão para si mesmo? Quantas vezes ele se rastejou aos pés daqueles a quem rejeita? Como podemos obter mais glória do que transformar a raiva em amizade? Que aliados mais fiéis têm o povo romano do que aqueles que foram seus inimigos mais inflexíveis? Onde estaria o Império hoje, se uma sábia previsão não tivesse unido os vencidos e os conquistadores? Se alguém está zangado com você, enfrente a raiva dele retribuindo os benefícios. Uma briga que só é travada de um lado cai por terra, pois são necessários dois homens para lutar. Mas suponha que haja uma luta violenta de ambos os lados. Mesmo assim, o melhor homem é o que cede primeiro; o vencedor é o verdadeiro perdedor. Ele bateu em você; bem, então recue. Se o golpear por sua vez, dar-lhe-á uma oportunidade e uma desculpa para voltar a golpeá-lo e não será capaz de se retirar da luta quando quiser.

35 Alguém deseja golpear seu inimigo com tanta força, a ponto de deixar sua própria mão ferida, e não poder recuperar o equilíbrio após o golpe? No entanto, essa arma é a raiva: dificilmente é possível trazê-la de volta. Temos o cuidado de escolher para nós mesmos armas leves, espadas úteis e de fácil manejo. Não devemos evitar esses impulsos da mente desajeitados, pesados e que nunca serão lembrados? A única rapidez que os homens aprovam é aquela que, quando ordenada, se detém e não prossegue, e que pode ser guiada e reduzida de uma corrida a uma caminhada. Sabemos que os tendões adoecem quando se movem contra a nossa vontade. Deve ser idoso ou debilitado o homem que corre quando quer andar. Pensemos que essas são as operações mais poderosas e mais sólidas de nossas mentes, as que agem sob nosso próprio controle, não por capricho. Nada, entretanto, será tão útil quanto considerar, primeiro, a hediondez e, em segundo lugar, o perigo da raiva. Nenhuma paixão tem aspecto mais conturbado: suja o rosto mais belo, torna feroz a expressão que antes era pacífica. Da raiva "toda a graça fugiu"; embora suas roupas possam estar na moda, elas cairão no chão e não importará sua aparência; embora seus cabelos sejam alisados de maneira formosa pela natureza ou pela arte, ainda assim eles se eriçarão de acordo com sua mente. As veias ficarão inchadas, o seio ficará sacudido pela respiração rápida, o pescoço do homem ficará inchado enquanto ele ruge sua conversa frenética. Então, também, seus membros tremerão, suas mãos ficarão inquietas, seu corpo inteiro irá balançar para cá e lá. Qual, você pensa, deve ser o estado de sua mente, de seu interior, quando sua aparência externa é tão chocante? Quão mais terrível é o semblante que ele carrega em seu próprio peito, quão mais agudo o orgulho, quão mais violenta a raiva, que o explodirá a menos que encontre algum respiradouro? Tal qual a aparência dos inimigos pingando sangue ou de feras selvagens; tais quais os monstros do mundo inferior imaginados pelo poeta, cingidos de serpentes e soprando fogo – os mais terríveis de se ver quando saem do inferno para desencadear guerras, com seus olhos brilhantes como o fogo, suas vozes sibilando, rugindo, rangendo e fazendo sons piores, se piores houver, brandindo armas com as duas mãos

– sem se importarem com a proteção – sombria, manchada de sangue, coberta por cicatrizes e lívida com seus próprios golpes, cambaleando como os maníacos, envolta em uma nuvem espessa, correndo de um lado para o outro, espalhando desolação e pânico, odiada por todos e por ela mesma, acima de tudo, disposta, se de outra forma não puder machucar seus inimigos, a derrubar mares e céu, nociva e odiosa ao mesmo tempo. Ou, se quisermos vê-la, deixe-a ser tal como nossos poetas a descreveram: "Lá com seu flagelo manchado de sangue Belona[10] luta, e Discórdia em seu manto rasgado delicia-se" ou, se possível, deixe algum ainda mais terrível aspecto ser inventado para essa paixão terrível.

Algumas pessoas iradas, como Séxtio observa, foram beneficiadas ao olhar o espelho: elas foram atingidas por uma alteração tão grande em sua própria aparência, foram, por assim dizer, trazidas à sua própria presença e não reconheceram a si próprias. Ainda assim, quão pequena parte da hediondez real da raiva aquela imagem refletida no espelho se reproduziu! Se a mente pudesse ser exibida ou feita aparecer através de qualquer substância, deveríamos nos confundir quando víssemos como ela parecia negra e manchada, como parecia agitada, distorcida e inchada. Mesmo agora é muito feia quando vista através de todas as telas de sangue, ossos, e assim por diante. O que seria, se fosse exibida a descoberto? Você diz que não acredita que alguém já tenha se assustado com a raiva vista no espelho. E por que não? Porque quando foi ao espelho para apla-

---
[10] Deusa romana da guerra.

car a raiva, a expressão já o havia mudado. Para os homens irados, nenhum rosto parece mais belo do que aquele que é feroz e selvagem, e é como eles desejam ser. Devemos antes considerar quantos homens a própria raiva feriu. Alguns, em seu calor excessivo, estouraram as veias; outros, ao forçarem a voz além de suas forças, vomitaram sangue ou prejudicaram a visão ao injetar humores com demasiada violência em seus olhos e adoeceram quando o ataque passou. De jeito nenhum se vai mais rapidamente rumo à loucura. Muitos, consequentemente, permaneceram sempre no frenesi da raiva e, uma vez tendo perdido a razão, nunca a recuperaram. Ajax foi levado à loucura pela raiva e ao suicídio pela loucura. Os homens, frenéticos de raiva, clamam ao céu para matar seus filhos, reduzir-se à pobreza e arruinar suas casas, e ainda assim declaram que não estão zangados ou loucos. Inimigos para seus melhores amigos, perigosos para os mais próximos, encontram os mais queridos, independentemente das leis, exceto onde ferem, influenciados pelas menores ninharias, sem querer dar ouvidos aos conselhos ou aos serviços de seus amigos, eles fazem tudo pela força e estão prontos para lutar com suas espadas ou lançar-se sobre elas[11], pois o maior de todos os males, e aquele que supera todos os vícios, ganhou posse deles. Outras paixões ganham terreno na mente em graus lentos. A conquista da raiva é repentina e completa e, além disso, torna todas as outras paixões subservientes a ela. Conquista o amor mais caloroso; por ela, homens enfiaram espadas nos corpos daqueles que amavam

---

[11] O suicídio era uma saída honrosa para os romanos; e deixar-se cair sobre sua espada, uma forma comum de os nobres romanos tirarem suas vidas.

e mataram aqueles em cujos braços estavam. A avareza, a mais severa e rígida das paixões, é pisoteada pela raiva, que a obriga a esbanjar sua riqueza cuidadosamente recolhida e incendiar sua casa e todas as suas propriedades de uma só vez. Pois, nem mesmo o homem ambicioso atira longe as insígnias da posição mais valiosa e recusa um cargo elevado quando lhe é oferecido? Não há paixão sobre a qual a raiva não tenha domínio absoluto.

"(...) o maior castigo por ter feito o mal é o sentimento de tê-lo feito, e ninguém é punido mais severamente do que aquele que se entrega ao castigo do remorso."

A raiva paga uma penalidade no mesmo momento em que a cobra: ela renuncia aos sentimentos humanos. Estes nos impelem a amar; a raiva nos impele ao ódio; os sentimentos humanos nos mandam fazer o bem aos homens, a raiva nos manda fazer mal a eles.

LIVRO III

1 Vamos agora, meu Novato, tentar fazer o que você tanto anseia fazer, isto é, expulsar a raiva de nossas mentes ou, em todo caso, controlá-la e restringir seus impulsos. Isso às vezes pode ser feito abertamente e sem ocultação, quando estamos apenas sofrendo de um leve ataque dessa maldade, e outras vezes deve ser feito secretamente, quando nossa raiva está excessivamente quente e quando cada obstáculo lançado em seu caminho a aumenta e faz com esquente ainda mais. É importante saber o quão grande e firme pode ser sua força, e se a raiva pode ser detida à força e suprimida, ou se devemos ceder a ela até que sua primeira tempestade passe, para que não varra com nossos próprios recursos. Devemos lidar com cada caso de acordo com o caráter de cada homem: alguns cedem às súplicas, outros tornam-se arrogantes e dominadores pela submissão. Podemos assustar alguns homens com a raiva, enquanto alguns podem ser desviados de seu propósito por reprovações, alguns por reconhecer estarem errados, alguns por vergonha e outros por demora, um remédio tardio para uma desordem precipitada que devemos usar somente quando todos os outros falharam, pois outras paixões admitem ter seu caso adiado e podem ser curadas em um momento posterior. No entanto, a violência ávida e autodestrutiva da raiva não aumenta lentamente e, sim, atinge seu ápice assim que começa. Não só como outros vícios, apenas perturba as mentes dos homens, mas os arrasta e os atormenta até que fiquem incapazes de se conter, tornando-os ansiosos até mesmo pela ruína comum de todos os homens. Não se enfurece meramente contra seu objeto, mas contra cada obstáculo que encontra em seu caminho. Os outros vícios movem nossas mentes; a raiva a vira de cabeça para baixo. Se não somos capazes de resistir às nossas paixões, mesmo assim devemos mantê-las firmes. Contudo, a raiva torna-se cada vez mais poderosa, como relâmpagos ou furacões, ou quaisquer outras coisas que não podem parar por si mesmas porque não prosseguem, mas caem do alto. Outros vícios afetam nosso julgamento, a raiva afeta nossa sanidade; alguns vêm em ataques leves e passam despercebidos, mas as mentes dos homens mergulham abruptamente na raiva. Não há paixão mais frenética, mais destrutiva por si mesma; é arrogante se for bem-sucedida e frenética se falhar. Mesmo quando derrotado, não se cansa, mas se o acaso colocar seu inimigo fora de seu alcance, ele vira os dentes contra si mesmo. Sua intensidade não é regulada de forma alguma por sua origem: pois sobe às maiores alturas desde os primórdios mais triviais.

2 Não isenta momento nenhum da vida; nenhuma raça de homens é excluída. Algumas nações foram salvas do conhecimento do luxo pela bênção da pobreza; alguns, por causa de seus hábitos ativos e errantes, escaparam da preguiça; aqueles cujas maneiras não são polidas e cuja vida é rústica não conhecem a trapaça e a fraude e todos os males que nascem nos tribunais. Entretanto, não há raça que não seja excitada pela raiva, que seja igualmente poderosa com gregos e bárbaros, e é tão prejudicial entre as pessoas que cumprem a lei quanto entre aqueles cuja única lei é a do mais forte. Finalmente, as outras paixões se apoderam de indivíduos, mas a raiva é a única que domina por completo. Nenhum povo jamais se apaixonou perdidamente por uma mulher, nem qualquer nação jamais dedicou suas afeições inteiramente ao ganho e ao lucro. A ambição ataca indivíduos isolados; a raiva ingovernável é a única paixão que afeta as nações. As pessoas frequentemente se apaixonam pelos soldados; homens e mulheres, velhos e meninos, príncipes e população agem todos da mesma forma, e toda a multidão, depois de ser excitada por muito poucas palavras, supera até mesmo seu excitador; os homens se dirigem diretamente para o fogo e a espada, e proclamam uma guerra contra seus vizinhos ou um salário por seus conterrâneos. Casas inteiras são queimadas com toda a família dentro delas, e quem, apenas recentemente, foi homenageado por sua eloquência popular, agora descobre que seu discurso leva as pessoas à raiva. Legiões apontam seus dardos para seu comandante; toda a população briga com os nobres; o Senado, sem esperar que as tropas sejam convocadas e sem ter nomeado um general, escolhe apressadamente os líderes, pois sua raiva persegue homens bem-nascidos pelas casas de Roma e os mata com suas próprias mãos. Os embaixadores ficam indignados, a lei das nações é violada e uma loucura antinatural se apodera do Estado. Sem permitir que o entusiasmo geral diminua, as frotas são imediatamente lançadas e carregadas com soldados alistados às pressas. Sem organização, sem receber quaisquer auspícios, a população corre para o campo guiada apenas por sua própria raiva, agarra o que quer que esteja primeiro em suas mãos por meio de armas e, em seguida, expia com uma grande derrota a audácia imprudente de sua raiva. Este é geralmente o destino das nações selvagens quando mergulham na guerra: assim que suas mentes facilmente excitadas são despertadas pela aparência de que o mal lhes foi feito, elas imediatamente se apressam e, guiadas apenas por seus sentimentos feridos, caem como uma avalanche sobre nossas legiões, sem disciplina, medo ou precaução, voluntariamente procurando o perigo. Eles se deliciam em serem atingidos, em avançar para enfrentar o golpe, contorcendo seus corpos ao longo da arma e morrendo por um ferimento que eles mesmos fazem.

{3} "Sem dúvida", você diz, "a raiva é muito poderosa e ruinosa: mostre, portanto, como ela pode ser curada." No entanto, como afirmei em meus livros anteriores, Aristóteles se apresenta em defesa da raiva e proíbe que ela seja extirpada, dizendo que é o estímulo da virtude e que, quando é retirada, nossas mentes ficam sem armas e demoram para tentar grandes façanhas. É, portanto, essencial provar sua inadequação e ferocidade e colocar distintamente diante de nossos olhos o quão monstruoso é que um homem se enfureça contra outro, e com quanta violência se apressa em destruir tanto a si mesmo quanto a seu iminigo, derrubando as mesmas coisas com cuja queda ele também será afetado. O que então? Pode alguém chamar de são este homem, que, como que pego por um furacão, não vai, mas é levado, e é escravo de uma desordem sem sentido? Ele não compromete a outro o dever de vingá-lo, mas ele mesmo o exige, furioso em pensamentos e ações, massacrando aqueles que são mais queridos para ele e por cuja perda ele próprio chorará em breve. Alguém dará esta paixão como auxiliar e companheira da virtude, embora perturbe a razão serena, sem a qual a virtude nada pode fazer? A força que um homem doente deve a um paroxismo da doença não é duradoura nem saudável, e é forte apenas para sua própria destruição. Você não precisa, portanto, imaginar que estou perdendo tempo com uma tarefa inútil de difamar a raiva, como se os homens não tivessem se decidido a respeito, quando há alguém, e ele também, um ilustre filósofo, que lhe atribui serviços a realizar, e fala dela como útil e proporcionadora de energia para as batalhas, para a gestão dos negócios e, na verdade, para tudo o que requer ser conduzido com espírito. Para não iludir ninguém, fazendo-os pensar que, em certas ocasiões e em certas posições, pode ser útil, devemos mostrar sua loucura desenfreada e frenética, devemos devolver-lhe seus atributos, o suporte, a corda, a masmorra e a cruz, os fogos acesos em torno dos corpos enterrados dos homens, o gancho que arrasta tanto os homens vivos quanto os cadáveres[12], os diferentes tipos de grilhões e de punições, as mutilações de membros, a marcação da testa, os covis de animais selvagens. A raiva deve ser representada como estando entre esses instrumentos, rosnando de uma forma ameaçadora e terrível, ela mesma mais chocante do que qualquer um dos meios pelos quais ela dá vazão à sua fúria.

---

[12] Nos combates de gladiatoriais, os cadáveres eram perfurados com um gancho e arrastados para fora da arena, como modo de mostrar ao público que o gladiador estava realmente morto.

[4] Pode haver algumas dúvidas sobre as outras, mas de qualquer forma nenhuma paixão tem aparência pior. Descrevemos a aparência do homem raivoso em nossos livros anteriores, como ele parece aguçado e perspicaz, ora pálido enquanto seu sangue é dirigido de um lado para o outro, ora com todo o calor e fogo de seu corpo direcionado para seu rosto, tornando-o avermelhado como se manchado de sangue; seus olhos agora inquietos e saindo da cabeça, agora imóveis em um olhar fixo. Acrescente a isso seus dentes, que rangem uns nos outros, como se quisessem comer alguém, exatamente como o som de um javali afiando suas presas. Junte também o estalar das juntas, o torcer involuntário das mãos, as bofetadas frequentes que ele se dá no peito, sua respiração apressada e suspiros profundos, seu corpo cambaleante, sua fala abrupta e quebrada e seus lábios trêmulos, que às vezes ele aperta enquanto sibila alguma maldição através deles. Por Hércules, nenhuma fera selvagem, nem quando torturada pela fome, ou com uma arma cravada em seus órgãos vitais, nem mesmo quando dá seu último suspiro para morder seu assassino, parece tão chocante quanto um homem furioso de raiva. Se tiver tempo, escute suas palavras e suas ameaças. Quão terrível é a linguagem de sua mente agonizante! Não desejaria todo homem deixar de lado a raiva ao ver que ela começa ferindo a si mesmo? Quando os homens empregam a raiva como o mais poderoso dos agentes, e a consideram como uma vingança rápida entre as maiores bênçãos da grande prosperidade, você não gostaria que eu os advertisse de que aquele que é escravo de sua própria raiva não é poderoso, nem mesmo livre? Você não gostaria que eu avisasse todos os homens mais industriosos e circunspectos, que enquanto outras paixões malignas atacam a base, a raiva gradualmente obtém domínio sobre as mentes mesmo de homens eruditos e, em outros aspectos, sensatos? Isso é tão verdade que alguns declaram que a raiva é uma prova de franqueza, e comumente se acredita que as pessoas de melhor natureza são propensas a ela.

5 Então você me pergunta: para que isso interessa? Para provar, respondo, que ninguém deve imaginar-se a salvo da raiva, visto que ela desperta até mesmo aqueles que são naturalmente gentis e quietos a cometer atos selvagens e violentos. Assim como a força do corpo e o cuidado assíduo da saúde de nada valem contra uma pestilência, que ataca tanto os fortes como os fracos, assim também as pessoas firmes e bem-humoradas são tão sujeitas a ataques de raiva quanto as de caráter instável, e no caso do primeiro, é mais para se envergonhar e mais para ser temido, porque faz uma alteração maior em seus hábitos. Agora, como a primeira coisa é não ficar com raiva, a segunda é deixar de lado nossa raiva e a terceira é ser capaz de curar a raiva dos outros, bem como a nossa, explicarei primeiro como podemos evitar cair na raiva. A seguir, como podemos nos libertar disso e, por último, como podemos conter um homem irado, apaziguar sua ira e trazê-lo de volta ao juízo perfeito.

Teremos sucesso em evitar a raiva se de vez em quando colocarmos diante de nossas mentes todos os vícios relacionados com a raiva e avaliá-la pelo seu valor real. Ela deve ser processada diante de nós e condenada; seus males devem ser minuciosamente investigados e expostos. Para que possamos ver o que é, que seja comparada com os piores vícios. A avareza junta e acumula riquezas para algum homem melhor usar. A raiva dispende dinheiro; poucos podem se dar a esse luxo. Quantos escravos um mestre zangado leva a fugir ou a cometer suicídio! Ele perde mais com sua raiva do que o valor do motivo pelo qual ele se zangou originalmente! A raiva traz tristeza para o pai, divórcio para o marido, ódio para o magistrado, fracasso para o candidato a um cargo. É pior do que a maldade ou a inveja, pois estas querem que o outro se torne infeliz, enquanto a raiva deseja ela mesma fazer alguém infeliz. Ficam satisfeitas quando o mal se abate sobre alguém por acidente, mas a raiva não pode esperar pela Fortuna; deseja ferir sua vítima pessoalmente, e não está satisfeita apenas com o fato de ela ser ferida. Nada é mais perigoso do que o ciúme: ele é produzido pela raiva. Nada é mais ruinoso do que a guerra: ela é o resultado da raiva de homens poderosos; e mesmo a raiva de pessoas humildes, embora sem armas ou exércitos, não deixa de ser guerra. Além disso, mesmo que passemos por alto suas consequências imediatas, como pesadas perdas, tramas traiçoeiras e a ansiedade constante produzida pela contenda, a raiva paga uma penalidade no mesmo momento em que a cobra: ela renuncia aos sentimentos humanos. Estes nos impelem a amar; a raiva nos impele ao ódio; os sentimentos humanos nos mandam fazer o bem aos homens, a raiva nos manda fazer mal a eles. Acrescente a isso que, embora sua raiva surja de um excessivo orgulho próprio e pareça mostrar um espírito elevado, é realmente desprezível e mesquinha: pois um homem deve ser inferior àquele por quem se considera desprezado, ao passo que a mente verdadeiramente grande, que faz uma avaliação verdadeira de seu próprio valor, não vinga um insulto porque não o sente. Assim como as armas ricocheteiam em uma superfície dura e as substâncias sólidas ferem aqueles que as golpeiam, também nenhum insulto pode fazer uma mente realmente grande sentir sua presença, sendo mais fraca do que aquela contra a qual está direcionada. Quão mais glorioso é rejeitar todos os erros e insultos a si mesmo, como alguém que usa uma armadura contra todas as armas, pois a vingança é uma admissão de que fomos feridos. Não pode ser uma grande mente perturbada por ferimentos. Aquele que o feriu deve ser mais forte ou mais fraco do que você. Se ele for mais fraco, poupe-o; se ele for mais forte, poupe-se.

6 Não há maior prova de magnanimidade do que nada que aconteça a você seja capaz de levá-lo à raiva. A região superior do universo, sendo mais excelentemente ordenada e próxima às estrelas, nunca é reunida em nuvens, movida por tempestades ou sacudida por ciclones: ela está livre de qualquer perturbação; os relâmpagos brilham na região abaixo dela. Da mesma forma, uma mente elevada, sempre plácida e habitando em uma atmosfera serena, contendo dentro de si todos os impulsos dos quais a raiva surge, é modesta, impõe respeito e permanece calma e controlada. Nenhuma dessas qualidades você encontrará em um homem irado; pois quem, quando sob a influência da dor e da raiva, não se livra primeiro da timidez? Quem, quando excitado e confuso e prestes a atacar, não descarta qualquer vergonha que possa ter possuído? Que homem irado se preocupa com a quantidade ou rotina de seus deveres? Quem usa linguagem moderada? Quem mantém alguma parte de seu corpo quieta? Quem pode guiar-se quando em plena correria? Teremos muito proveito nessa sólida máxima de Demócrito que define a paz de espírito como consistindo em não trabalhar muito, ou demais para nossas forças, seja em assuntos públicos ou privados. O dia de um homem, se ele está envolvido em várias ocupações, nunca passa tão feliz a ponto de nenhum homem ou coisa alguma dar origem a alguma ofensa que torne a mente disposta para a raiva. Assim como quando alguém se apressa pelas áreas lotadas da cidade, não pode evitar empurrar muitas pessoas e não pode evitar escorregar em um lugar, ser atrapalhado em outro e empurrado em outro. Assim, quando a vida é gasta em buscas e perambulações desconectadas, deve-se enfrentar muitos problemas e muitas acusações. Um homem engana nossas esperanças, outro atrasa seu cumprimento, outro as destrói; nossos projetos não prosseguem conforme nossa intenção. Ninguém é tão favorecido pela Fortuna a ponto de encontrá-la sempre ao seu lado, se a tentar com frequência. E daí segue-se que aquele que vê vários empreendimentos darem resultados contrários aos seus desejos fica insatisfeito tanto com os homens quanto com as coisas, e no mínimo a provocação torna-o furioso com as pessoas, com os empreendimentos, com os lugares, com a Fortuna ou consigo mesmo. A fim, portanto, de que a mente possa estar em paz, ela não deve ser apressada de um lado para outro, nem, como eu disse antes, cansada de trabalhar em grandes questões, ou questões cuja realização está além de suas forças. É fácil ajustar o ombro a um fardo leve e movê-lo de um lado para o outro sem deixá-lo cair, mas temos dificuldade em suportar os fardos que as mãos dos outros colocam sobre nós e, quando sobrecarregados por eles, os arremessamos sobre nossos vizinhos. Mesmo quando ficamos de pé sob nossa carga, cambaleamos sob um peso que está além de nossas forças.

7 Esteja certo de que a mesma regra se aplica tanto à vida pública como à privada. Empreendimentos simples e administráveis procedem de acordo com o gosto de quem os dirige, mas os enormes, além de sua capacidade de administrar, não são facilmente empreendidos. Quando ele os consegue administrar, eles o atrapalham e pressionam fortemente, e assim como pensa que o sucesso está ao seu alcance, eles entram em colapso e o carregam consigo. Desse modo, acontece que os desejos de um homem muitas vezes são frustrados se ele não se dedica a tarefas fáceis, ainda que deseje que as tarefas que empreende sejam fáceis. Sempre que você tentar qualquer coisa, primeiro faça uma estimativa de seus próprios poderes, da extensão do assunto que você está empreendendo e dos meios pelos quais você deve realizá-lo, pois se você tiver que abandonar seu trabalho quando estiver meio feito, a decepção vai azedar seu temperamento. Em tais casos, faz diferença se a pessoa é de temperamento ardente ou frio e pouco empreendedora, pois o fracasso despertará a raiva de um espírito generoso e levará o indolente e obtuso à tristeza. Que nossos empreendimentos, portanto, não sejam mesquinhos nem presunçosos e imprudentes; que nossas esperanças não se distanciem de casa; não tentemos nada que, se tivermos êxito, nos deixará espantados com nosso sucesso.

8 Visto que não sabemos como suportar uma injúria, tomemos cuidado para não a receber. Devemos viver com as pessoas mais caladas e de temperamento mais fácil, não com os ansiosos ou taciturnos, pois nossos próprios hábitos são copiados daqueles com a quem associamos, e assim como algumas doenças corporais são transmitidas pelo contato, também a mente transfere seus vícios para seus vizinhos. Um bêbado leva até mesmo aqueles que o censuram a gostar de vinho; a sociedade perdulária irá, se permitido, prejudicar a moral até mesmo de homens de mente robusta; a avareza infecta os mais próximos com seu veneno. As virtudes fazem a mesma coisa na direção oposta e melhoram todos aqueles com quem entram em contato. É tão bom para alguém de princípios incertos se associar a homens melhores do que ele, quanto para um inválido viver em um país quente com um clima saudável. Você compreenderá o quanto pode ser efetuado desta forma, se observar como até mesmo os animais selvagens se tornam domesticados por morar entre nós, e como nenhum animal, por mais feroz que seja, continua a ser selvagem, se há muito está acostumado à companhia humana toda a sua selvageria se suaviza e, em meio a cenas pacíficas, é gradualmente esquecida. Devemos acrescentar a isso, que o homem que convive com pessoas calmas não melhora apenas pelo exemplo delas, mas também pelo fato de não encontrar motivo para raiva e não praticar seu vício. Será, portanto, seu dever evitar todos aqueles que ele sabe que irão excitar sua raiva. Você pergunta quem são estes. Muitos farão a mesma coisa por vários meios; um homem orgulhoso irá ofendê-lo com seu desdém, um homem falador por seu abuso, um homem impudente por seus insultos, um rancoroso por sua malícia, um brigão por suas disputas, um fanfarrão e mentiroso por sua vanglória. Você não vai tolerar ser temido por um homem desconfiado, conquistado por um obstinado ou desprezado por um ultra refinado. Escolha pessoas diretas, de boa índole e firmes, que não provocarão sua ira e a aumentarão. Aqueles cujas disposições são dóceis, educadas e suaves, serão de serviço ainda maior, desde que não bajulem, pois a subserviência excessiva irrita os homens mal-humorados. Um de meus próprios amigos era um homem bom, de fato, mas muito sujeito à raiva, e era tão perigoso bajulá-lo quanto amaldiçoá-lo. Célio, o orador, é bem sabido, era o homem mais mal-humorado possível. Diz-se que uma vez ele estava jantando em seu quarto com um cliente especialmente sofredor, mas teve grande dificuldade de manter a sociedade com o homem e evitar brigar com ele. O outro achou melhor concordar com o que quer que ele dissesse e ficar em segundo plano, mas Célio não suportou o seu consentimento subserviente e exclamou: "Me contradiga em alguma coisa, para que possamos ser dois!" No entanto, mesmo ele, que estava zangado por se zangar, logo recuperou a paciência, porque não tinha com quem lutar. Se, pois, temos consciência de uma disposição irascível, escolhemos especialmente como nossos amigos aqueles que se parecerão e falarão como nós. Eles nos apoiarão e nos levarão ao mau hábito de não escutar nada que não nos agrade, mas será bom dar trégua e repouso à nossa raiva. Mesmo aqueles que são naturalmente raivosos e selvagens cederão às carícias. Nenhuma criatura continua zangada ou assustada se você a acariciar. Sempre que uma controvérsia parece ter probabilidade de ser mais longa ou mais agudamente disputada do que o normal, vamos verificar seu início, antes que ganhe força. Uma disputa se alimenta à medida que avança e se apodera daqueles que se aprofundam nela. É mais fácil ficar indiferente do que livrar-se de uma luta.

9

Os homens irascíveis não devem se intrometer nas classes mais sérias de ocupações, ou, pelo menos, devem parar antes de se cansar em buscá-las; sua mente não deve estar ocupada com assuntos difíceis, mas entregue às artes agradáveis. Que seja suavizada pela leitura de poesia e interessada pela história lendária; que seja tratada com luxo e requinte. Pitágoras costumava acalmar seu espírito perturbado tocando lira. E quem não sabe que trombetas e clarins são irritantes, assim como alguns ares são como canções de ninar e acalmam a mente? Verde é bom para olhos cansados, e algumas cores agradam à visão fraca, enquanto o brilho de outras é doloroso para ela. Da mesma forma, as atividades alegres acalmam as mentes doentias. Devemos evitar tribunais, súplicas, vereditos e tudo o mais que agrave nossa falta, e não devemos evitar menos o cansaço corporal, pois isso esgota tudo o que há de calmo e gentil em nós, e desperta amargura. Por esta razão, aqueles que não podem confiar em sua digestão, quando estão prestes a realizar negócios importantes, sempre acalmam sua bile com comida, pois é peculiarmente irritada pela fadiga, seja porque atrai o calor vital para o meio do corpo e prejudica o sangue e interrompe sua circulação pelo entupimento das veias, ou então porque o corpo desgastado e enfraquecido reage à mente. Esta é certamente a razão pela qual aqueles que estão enfermos por problemas de saúde ou idade são mais irascíveis do que os outros homens. A fome e a sede também devem ser evitadas pelo mesmo motivo; elas exasperam e irritam as mentes dos homens. Um velho ditado diz que "um homem cansado é brigão". E assim também é um homem com fome ou sede, ou aquele que está sofrendo de qualquer coisa, pois assim como as feridas doem ao menor toque ou mesmo com o medo de serem tocadas, uma mente doentia se ofende com as menores coisas, de modo que mesmo uma saudação, uma carta, um discurso ou uma pergunta provoca a raiva em alguns homens.

{10} Aquilo que está doente nunca suporta ser tratado sem reclamar. É melhor, portanto, aplicar remédios a si mesmo assim que sentirmos que algo está errado, permitir-se o mínimo de licença possível na fala e conter a impetuosidade. Agora é fácil detectar o primeiro aumento de nossas paixões: os sintomas precedem a desordem. Assim como os sinais das tempestades e da chuva vêm antes delas próprias, existem certos precursores da raiva, do amor[13] e de todas as tempestades que atormentam nossas mentes. Aqueles que sofrem de epilepsia sabem que o ataque está chegando se suas extremidades ficarem frias, sua visão falhar, seus tendões tremerem, sua memória os abandonar e sua cabeça flutuar. Eles, portanto, controlam o distúrbio crescente aplicando os remédios usuais; tentam prevenir a perda de seus sentidos ao cheirar ou provar alguma droga; lutam contra o frio e a rigidez dos membros por buscando mantê-los quentes; ou, se todos os remédios falham, eles se afastam e desmaiam onde

---

[13] Até a Idade Média, o amor era considerado uma paixão doentia que abalava a razão humana.

ninguém os vê cair. É útil para o homem compreender sua doença e quebrar sua força antes que ela se desenvolva. Vamos ver o que é que nos irrita especialmente. Alguns homens se ofendem com palavras hostis, outros com atos; um deseja que sua linhagem, outro sua pessoa, seja tratada com respeito. Este homem deseja ser considerado especialmente na moda, aquele homem, a ser considerado especialmente erudito; um não pode suportar o orgulho, outro não pode suportar a obstinação. Um acha que é indigno dele ficar com raiva de seus escravos, outro é cruel em casa, mas gentil na sociedade. Um imagina que foi proposto para um cargo porque não é popular, outro se acha insultado porque não foi proposto. Nem todas as pessoas se ofendem da mesma maneira; então você deve saber qual é o seu ponto fraco, para que possa protegê-lo com especial cuidado.

11 É melhor não ver nem ouvir tudo. Muitas causas de ofensa podem passar por nós, diversas das quais são desconsideradas por quem as ignora. Você não ficaria irascível? Então não seja curioso. Aquele que busca saber o que é dito sobre ele, que desenterra histórias maldosas, mesmo que sejam contadas em segredo, é ele mesmo o destruidor de sua própria paz de espírito. Algumas histórias podem ser interpretadas de modo a parecerem insultos; portanto, é melhor deixar algumas de lado, rir de outras e perdoar o resto. Existem muitas maneiras de controlar a raiva; a maioria das coisas pode ser transformada em piada. Conta-se que Sócrates, quando recebeu uma pancada na orelha, apenas disse que era uma pena que um homem não soubesse quando deveria usar seu capacete ao caminhar. Não importa tanto como um ferimento é feito, mas como é suportado; e não vejo como a moderação pode ser difícil de praticar, quando sei que mesmo os déspotas, embora o sucesso e a impunidade se combinem para aumentar seu orgulho, às vezes restringiram sua ferocidade natural. De qualquer forma, a tradição nos informa que uma vez, quando um convidado reprovou amargamente Pisístrato, o tirano de Atenas, por sua crueldade, muitos dos presentes se ofereceram para colocar as mãos no traidor, e um disse uma coisa e outra para acender sua ira; ele suportou-a friamente e respondeu aos que o instigavam que não estava mais zangado com o homem do que se alguém, com os olhos vendados, tivesse esbarrado nele.

12 Uma grande parte da humanidade fabrica suas próprias queixas, alimentando suspeitas infundadas ou exagerando ninharias. A raiva muitas vezes vem até nós, mas muitas vezes vamos até ela. Nunca deve ser convidada: mesmo quando cai em nosso caminho, deve ser posta de lado. Ninguém diz a si mesmo: "Eu mesmo fiz ou poderia ter feito exatamente a mesma coisa pela qual estou com raiva do outro por ter feito". Ninguém considera a intenção do executor, mas apenas a coisa feita. No entanto, devemos pensar sobre ele, e se ele o fez intencionalmente ou acidentalmente, sob compulsão ou por engano, se o fez por ódio a nós, ou para ganhar algo para si, se o fez para agradar a si próprio ou para servir a um amigo. Em alguns casos, a idade, em outros, a sorte mundana do culpado pode tornar mais humano ou vantajoso suportá-lo e tolerar o que ele fez. Coloquemo-nos no lugar daquele com quem estamos zangados: no momento, uma presunção arrogante de nossa própria importância nos torna propensos à raiva, e estamos totalmente dispostos a fazer aos outros o que não podemos suportar que façam a nós mesmos. Ninguém adiará sua raiva; ainda assim, a demora é o melhor remédio para ela, porque permite que seu primeiro lampejo diminua e dá tempo para que a nuvem que obscurece a mente se disperse ou se torne menos densa. Destes erros que o deixam frenético, alguns vão ficar mais leves depois de um intervalo, não de um dia, mas mesmo de uma hora; alguns vão desaparecer completamente. Mesmo que você não ganhe nada com o adiamento, o que fizer depois disso parecerá ser o resultado de uma deliberação madura, não de raiva. Se você quiser descobrir a verdade sobre qualquer coisa, comprometa a tarefa com o tempo: nada pode ser discernido com precisão em um momento de perturbação. Platão, zangado com o seu escravo, não conseguiu persuadir-se a esperar, mas imediatamente ordenou-lhe que tirasse a camisa e apresentasse os ombros aos golpes que pretendia dar-lhe com as próprias mãos. Então, quando percebeu que estava com raiva, deteve a mão que havia levantado no ar e ficou como se estivesse em ação para golpear. Sendo questionado por um amigo, que por acaso entrou, sobre o que ele estava fazendo, ele respondeu: "Estou fazendo um homem irado expiar seu crime". Ele manteve a postura de quem está prestes a ceder à paixão, como que espantado por ser tão degradante para um filósofo, esquecendo-se do escravo, porque havia encontrado outro ainda mais merecedor de castigo. Ele, portanto, negou a si mesmo o exercício de autoridade sobre sua própria casa, e uma vez, ficando bastante zangado com alguma falha, disse: "Espeusipo, queira corrigir aquele escravo com açoites, pois estou furioso." Ele não o castigaria com golpes, pela mesma razão pela qual outro homem o teria castigado. "Estou furioso", disse ele: "Eu deveria açoitá-lo mais do que é necessário; eu deveria ter mais prazer do que é necessário para fazer isso; não deixe aquele escravo cair nas mãos de alguém que não está em suas próprias mãos." Alguém pode desejar conceder o poder de vingança de um homem irado, quando o próprio Platão desistiu de seu próprio direito de exercê-lo? Enquanto estiver com raiva, você não deve ter permissão para fazer nada. "Por quê?" Você pergunta? Porque quando você está com raiva, não há nada que não queira ter permissão de fazer.

{13} Lute muito consigo mesmo e se você não conseguir vencer a raiva, não deixe que ela o conquiste. Você começa a tirar o melhor dela se ela não se manifestar, se não der vazão. Vamos esconder seus sintomas e, tanto quanto possível, mantê-los secretos e ocultos. Isso nos dará grande trabalho, pois está ansiosa para explodir, para acender nossos olhos e transformar nosso rosto; mas se permitirmos que ela se mostre em nossa aparência externa, ela se torna nosso mestre. Deixe-a antes ser trancada nos recessos mais íntimos de nosso peito e ser suportada por nós; que não nos carregue. Não, vamos substituir todos os seus sintomas por seus opostos; vamos deixar nosso semblante mais composto do que de costume, nossa voz mais suave, nossos passos mais lentos. Nossos pensamentos internos são gradualmente influenciados por nossa atitude externa. Com Sócrates, foi um sinal de raiva quando ele baixou a voz e tornou-se moderado no falar; era evidente nessas ocasiões que ele estava exercendo controle sobre si mesmo[14]. Seus amigos,

---

[14] O autocontrole é um dos principais preceitos do socratismo.

consequentemente, costumavam detectá-lo agindo assim e o condenavam por estar zangado; nem ficou desagradado por ser acusado de ocultar a raiva; na verdade, como ele poderia deixar de ficar feliz por muitos homens perceberem sua raiva, mas ninguém senti-la? Eles, entretanto, teriam sentido isso se ele não tivesse concedido a seus amigos o mesmo direito de criticar sua própria conduta que ele mesmo assumiu em relação à deles. Quão mais necessário é que façamos isso? Vamos implorar a todos os nossos melhores amigos que nos deem sua opinião com a maior liberdade, no momento em que menos podemos suportá-la, e nunca nos sejam complacentes quando estamos com raiva. Enquanto estejamos em posse de nossos devidos sentidos, enquanto estamos sob nosso próprio controle, vamos pedir ajuda contra um mal tão poderoso, e que consideramos com tão injusto favor. Aqueles que não podem beber seu vinho discretamente e temem ser traídos em algum ato precipitado e insolente, dão ordens a seus escravos para tirá-los do banquete quando estão bêbados; aqueles que sabem por experiência quão irracionais são quando estão doentes, dão ordens para que ninguém lhes obedeça quando estiverem doentes. É melhor preparar os obstáculos de antemão para os vícios que são conhecidos e, acima de tudo, para tranquilizar nossa mente para que possa suportar os choques mais repentinos e violentos, seja sem sentir raiva, ou, se a raiva for provocada pela extensão de algum erro inesperado, para que possa enterrá-lo profundamente e não trair sua ferida. Que é possível fazer isso será visto, se eu citar alguns entre uma abundância de exemplos, dos quais podemos aprender quanto mal existe na raiva, quando ela exerce domínio total sobre os homens em poder supremo, e quão completamente pode controlar-se quando intimidado pelo medo.

14 O rei Cambises era excessivamente viciado em vinho. Prexaspes foi o único de seus amigos mais próximos que o aconselhou a beber com mais moderação, apontando o quão vergonhoso era a embriaguez em um rei, em quem todos os olhos e ouvidos estavam fixos. Cambises respondeu: "Para que você saiba que nunca perco o controle de mim mesmo, em breve provarei a você que meus olhos e minhas mãos estão prontos para o serviço depois de eu ter bebido". Com isso, ele bebeu mais livremente do que o normal, usando taças maiores, e quando pesado e embriagado pelo vinho, ordenou ao filho de seu reprovador que fosse além da soleira e ficasse lá com a mão esquerda levantada acima da cabeça; então ele dobrou seu arco e perfurou o coração do jovem, no qual ele havia dito que mirava. Ele então teve o seu seio aberto, mostrou a flecha cravada exatamente no coração e, olhando para o pai do menino, perguntou-lhe se sua mão não estava firme o suficiente. Ele respondeu que o próprio Apolo não poderia ter mirado melhor. Deus confunda tal homem, que se mostrou mais escravo da sua mente do que por sua condição! Na verdade, ele elogiou um ato que não deveria ter suportado testemunhar. Ele pensou que o peito de seu filho sendo dilacerado, e seu coração palpitando com a ferida, deu-lhe a oportunidade de fazer um discurso elogioso. Ele deveria ter levantado uma disputa com ele sobre seu sucesso, e pedido outro tiro, para que o rei ficasse satisfeito em provar à pessoa do pai que sua mão estava ainda mais firme do que quando ele atirou no filho. Que rei selvagem! Que marca digna para todas as flechas de seus súditos! No entanto, embora o amaldiçoemos por fazer seu banquete terminar em crueldade e morte, ainda assim era pior elogiar aquele tiro de flecha do que atirar. Veremos a seguir como um pai deve se comportar diante do cadáver de seu filho, cujo assassinato ele causou e testemunhou: o assunto que estamos discutindo agora foi provado, quero dizer, que a raiva pode ser suprimida. Ele não amaldiçoou o rei, nem ao menos deixou escapar uma única palavra desfavorável, embora sentisse seu próprio coração tão profundamente ferido quanto o de seu filho. Pode-se dizer que ele agiu bem em sufocar suas palavras; pois embora pudesse ter falado como um homem irado, não poderia ter expressado o que sentia como um pai. Ele pode, repito, ser considerado como tendo se comportado com maior sabedoria naquela ocasião do que quando tentou regular a bebida de alguém que estava mais ocupado em beber vinho do que em beber sangue, e que concedia aos homens paz enquanto suas mãos estavam ocupadas com o copo de vinho. Ele, portanto, acrescentou mais um ao número daqueles que mostraram com um custo amargo quão pouco os reis se importam com os bons conselhos de seus amigos.

15. Não tenho dúvidas de que Hárpago deve ter dado algum conselho semelhante ao seu rei e dos persas, o qual colocou os próprios filhos de Hárpago diante dele na mesa de jantar para ele comer, perguntando-lhe, de vez em quando, se o tempero lhe agradava. Então, quando viu que estava farto de sua própria miséria, ordenou que suas cabeças fossem trazidas a ele e perguntou-lhe se ele gostava de sua diversão. O infeliz não perdeu a prontidão para falar; seu rosto não mudou. "Todo tipo de jantar", disse ele, "é agradável à mesa do rei." O que ele ganhou com essa subserviência? Ele evitou ser convidado uma segunda vez para jantar, para

comer o que restava deles. Não proíbo um pai de culpar o ato de seu rei, ou de buscar alguma vingança digna de um monstro tão sanguinário, mas, entretanto, deduzo da história este fato, que mesmo a raiva que surge de ultrajes inéditos pode ser ocultada e forçada a usar uma linguagem que é o oposta de seu significado. Essa forma de conter a raiva é necessária, pelo menos para aqueles que escolheram esse tipo de vida e que são admitidos para jantar à mesa de um rei; é assim que eles devem comer e beber, é assim que devem responder e como devem rir de suas próprias mortes. Se a vida vale a pena ter esse preço, veremos a seguir; essa é outra questão. Não consolemos um grupo tão lamentável, nem os encorajemos a se submeter às ordens de seus açougueiros; deixe-nos apontar que por mais servil que seja a condição de um homem, sempre há um caminho para a liberdade aberto para ele, a menos que sua mente esteja doente. É culpa do próprio homem se ele sofre, quando, colocando um fim em si mesmo, pode acabar com sua miséria. Para aquele cujo rei apontou flechas para o peito de seus amigos e para aquele cujo mestre empanturrou os pais com o coração de seus filhos, eu diria "Louco, por que você geme? Pelo que você está esperando? Por algum inimigo para vingar você pela destruição de toda a sua nação, ou por algum rei poderoso chegar de uma terra distante? Para onde quer que você vire seus olhos, você verá o fim de suas aflições. Você vê aquele precipício? Lá embaixo está o caminho para a liberdade; você vê aquele mar? Aquele rio? Aquele poço? A liberdade fica na parte inferior deles. Você vê aquela árvore? Embora esteja atrofiada, deteriorada, seca, a liberdade pende de seus galhos. Você vê sua própria garganta, seu próprio pescoço, seu próprio coração? São formas de escapar da escravidão. Esses modos que indico são muito trabalhosos e precisam de muita força e coragem? Você pergunta que caminho leva à liberdade? Eu respondo, qualquer veia em seu corpo.

16

Desde que, no entanto, não encontremos nada em nossa vida tão insuportável que nos leve ao suicídio, vamos, em qualquer posição que estejamos, afastar de nós a raiva: ela é destrutiva para aqueles que são seus escravos. Toda a sua fúria se volta para sua própria miséria, e a autoridade se torna tanto mais enfadonha quanto mais obstinadamente é resistida. É como um animal selvagem cujas lutas apenas puxam com mais força o laço pelo qual é agarrado; ou como pássaros que, enquanto apressadamente tentam se libertar, espalham cal em todas as suas penas. Nenhum jugo é tão doloroso que não possa ferir aquele que luta contra si mais do que aquele que cede: a única maneira de aliviar os grandes males é suportá-los e submeter-se a fazer o que eles obrigam. Esse controle de nossas paixões, e especialmente dessa louca, desenfreada e raivosa paixão, é útil para os súditos, mas ainda mais útil para os reis. Tudo se perde quando a posição de um homem permite que ele execute qualquer coisa que a raiva o induza a fazer; nem pode o poder perdurar por muito tempo se for exercido para prejuízo de muitos, pois torna-se ameaçado assim que o medo comum reúne aqueles que choram separadamente. Muitos reis, portanto, foram vítimas, alguns de indivíduos isolados, outros de povos inteiros, que foram forçados pela indignação geral a fazer de um homem o ministro de sua ira. No entanto, muitos reis cederam à sua ira como se fosse um privilégio da realeza, como Dario, que, após o destronamento de Mago, foi o primeiro governante dos persas e da maior parte do Oriente; quando declarou guerra contra os citas que faziam fronteira com o império do Oriente, Eobazo, um nobre idoso, implorou que um de seus três filhos fosse deixado em casa para confortar seu pai, e que o rei pudesse ficar satisfeito com os serviços de dois deles. Dario prometeu a Eobazo mais do que ele pediu, dizendo que permitiria que os três permanecessem em casa, e jogou seus cadáveres diante dos olhos de seu pai. Ele teria sido duro se tivesse levado todos eles para a guerra. Quão mais bem-humorado foi Xerxes, que, quando Pítias, pai de cinco filhos, implorou para que um fosse dispensado do serviço, permitiu-lhe escolher o que desejava. Ele então colocou o filho escolhido cortado em duas metades, uma em cada lado da estrada, e, por assim dizer, purificou seu exército por meio daquela vítima propiciatória. Portanto, teve o fim que merecia, sendo derrotado, e vendo seu exército espalhado por toda parte, enquanto caminhava entre os cadáveres de seus soldados, vendo por todos os lados os sinais de seu fracasso.

17

Tão ferozes em sua raiva foram aqueles reis que não tinham erudição e nenhum traço de literatura educada. Agora vou mostrar-lhe o rei Alexandre (o Grande), recém-saído do colo de Aristóteles, que com sua própria mão, enquanto estava à mesa, esfaqueou Clito , seu amigo mais querido, que havia sido criado com ele, porque Clito não o bajulava o suficiente e era muito lento em passar de um homem livre e macedônio a um escravo persa. Na verdade, ele trancou Lisímaco, que não era menos seu amigo do que Clito, em uma jaula com um leão; no entanto, isso fez Lisímaco, que escapou por algum acaso dos dentes do leão, mais gentil quando se tornou um rei? Ora, ele mutilou seu próprio amigo, Telésforo, o rodiano, cortando seu nariz e orelhas, e o manteve por muito tempo em uma cova, como um novo e estranho animal, depois que a hediondez de seu rosto cortado e desfigurado o fez não mais parecer um humano, assistido pela fome e a sujeira esquálida de seu corpo largado às próprias fezes! Além disso, suas mãos e joelhos, que a estreiteza do local o obrigava a usar no lugar dos pés, tornaram-se duros e calejados, enquanto seus flancos estavam cobertos de feridas pelo atrito com as paredes, de modo que sua aparência não era menos chocante do que assustadora, e seu castigo o transformou em uma criatura tão monstruosa que deixou de provocar compaixão. No entanto, por mais dessemelhante de um homem que fosse aquele que isso sofreu, ainda mais dessemelhante foi aquele que o infligiu.

{18} Queria que os céus permitissem que tal selvageria tivesse se contentado com exemplos estrangeiros, e que a barbárie na ira e na punição não tivesse sido importada com outros vícios estranhos para nossos modos romanos! Marco Mario, a quem o povo ergueu uma estátua em cada rua, a quem fizeram oferendas de incenso e vinho, teve, por ordem de Lucio Sula, suas pernas quebradas, os olhos arrancados, as mãos cortadas e todo o seu corpo gradualmente dilacerado, membro por membro, como se Sula o matasse tantas vezes quanto ele o feriu. Quem foi que cumpriu as ordens de Sula? Quem senão Catilina, já praticando com as mãos todo tipo de maldade? Ele o despedaçou diante do túmulo de Quinto Cátulo, um fardo indesejável para as cinzas do mais gentil dos homens, sobre as quais aquele, que era, sem dúvida, um criminoso, mas ainda assim ídolo do povo, e que era amado de forma não tanto imerecida quanto excessiva, derramava seu sangue gota a gota. Embora Mario merecesse tais torturas, era digno de Sula ordená-las e de Catilina executá-las; mas não era digno do Estado ser apunhalado pelas espadas de seu inimigo e de seu vingador. Por que me imiscuo na história antiga? Muito recentemente Caio César açoitou e torturou Sexto Papínio, cujo pai era um cônsul, Betilieno Basso, seu próprio questor, e vários outros senadores e cavaleiros no mesmo dia, não para realizar qualquer inquérito judicial, mas apenas para se divertir. Na verdade, tão impaciente estava ele de desfrutar o prazer de sua monstruosa crueldade, que não se alongou em interrogatórios. Ao caminhar com algumas senhoras e senadores nos jardins de sua mãe, ao longo do passeio entre a colunata e o rio, ele arrancou algumas de suas cabeças à luz do lampião. O que ele temia? Com que perigo público ou privado poderia uma noite ameaçá-lo? Quão pequeno seria o favor de esperar até de manhã para não matar os senadores do povo romano calçando chinelos?

19 É útil que saibamos com quanta arrogância sua crueldade foi exercida, embora alguém possa supor que estejamos nos afastando do assunto e embarcando em uma digressão. Mas essa digressão está ligada a explosões incomuns de raiva. Ele[15] espancou senadores com varas; fez isso com tanta frequência que os homens disseram: "É o costume." Ele os torturou com todos os aparatos mais sombrios do mundo, com a corda, as botas, o fogo e a visão de seu próprio rosto. Mesmo a isso podemos responder: "Destruir três senadores com açoites, assim como escravos criminosos, não era um crime tão grande para quem tinha pensamentos de massacrar todo o Senado, que costumava desejar que o povo romano tivesse apenas uma cabeça, para que ele pudesse concentrar em um dia e um golpe toda a maldade que dividiu entre tantos lugares e tempos. Alguma vez houve algo tão inédito quanto uma execução noturna? O assaltante nas estradas busca o abrigo das trevas, mas quanto mais notória é uma execução, mais poder ela tem como exemplo e lição. Aqui alguém me responderá: "Aquilo que causa em você tanta surpresa era o hábito diário daquele monstro; era para isso que ele vivia, procurava, ficava acordado à noite". Certamente, ninguém mais se poderia encontrar que ordenasse a todos aqueles que ele condenou à morte que fossem amordaçados com uma esponja na boca, para que não tivessem o poder nem mesmo de emitir um som. Que moribundo foi proibido de gemer? Ele temia que a última agonia pudesse encontrar uma voz muito livre, que ele pudesse ouvir o que o desagradaria. Sabia, além disso, que havia incontáveis crimes, pelos quais ninguém, exceto um moribundo ousaria censurá-lo. Quando as esponjas não estavam disponíveis, ele ordenou que as roupas dos homens miseráveis fossem rasgadas e os trapos enfiados em suas bocas. Que selvage-

---

[15] Calígula.

ria foi essa? Deixe um homem dar seu último suspiro; dê espaço para sua alma escapar; não deixe que ela seja forçada a deixar o corpo por uma ferida. Torna-se tedioso acrescentar que na mesma noite ele enviou centuriões às casas dos homens executados e acabou com seus pais também, isto é, sendo um homem compassivo, ele os libertou da tristeza: pois não é minha intenção descrever a ferocidade de Caio, mas a ferocidade da raiva, que não apenas desabafa sua raiva sobre os indivíduos, mas dilacera nações inteiras e até açoita cidades, rios e coisas que não têm noção de dor.

20 Assim, o rei dos persas cortou o nariz de toda uma nação na Síria, por isso o lugar é chamado de Rinocolura. Você acha que ele foi misericordioso porque não cortou suas cabeças de uma vez? Não, ele estava encantado por ter inventado um novo tipo de punição. Algo do mesmo tipo teria acontecido aos etíopes, que, por causa de sua vida prodigiosamente longa, são chamados de macróbios; porque eles não receberam a escravidão com as mãos erguidas ao céu em agradecimento, e porque aos emissários que lhe foram enviados deram respostas francas, que os reis chamam de linguagem insultuosa. Cambises ficou louco de raiva e, sem qualquer estoque de provisões ou qualquer conhecimento do caminho, arrastou seus guerreiros através de um deserto árido e sem trilhas, onde lhes faltou o necessário durante a primeira marcha, e o próprio país não lhes forneceu nada, sendo a região estéril, sem cultivo e desconhecida de passos humanos. A princípio, as partes mais tenras das folhas e brotos das árvores aliviavam sua fome, depois as peles amolecidas pelo fogo e qualquer outra coisa que a necessidade os levasse a usar como alimento. Quando nem raízes nem ervas foram encontradas na areia, e eles se depararam com um deserto desprovido até mesmo de vida animal, escolheram cada décimo homem por sorteio e fizeram dele uma refeição que era mais cruel do que a fome. A raiva ainda impulsionava o rei loucamente para a frente, até que depois de perder uma parte de seu exército e comer outra, ele começou a temer que também pudesse ser chamado para tirar a sorte de sua vida; então, por fim, deu ordem de retirada. No entanto, o tempo todo seus falcões bem-criados não eram sacrificados, e os seus banquetes eram carregados para ele em camelos, enquanto seus soldados tiravam a sorte de quem morreria miseravelmente e quem viveria ainda mais miseravelmente.

21 Este homem estava zangado com uma nação desconhecida e inofensiva, que mesmo assim foi capaz de sentir sua ira; mas Ciro zangou-se com um rio. Ao se apressar para sitiar a Babilônia, visto que para fazer a guerra é acima de tudo importante aproveitar a oportunidade, ele tentou vadear o extenso rio Gindes, o que dificilmente é seguro tentar, mesmo quando o rio já secou no calor do verão e está no seu nível mais baixo. Aqui, um dos cavalos brancos que puxava a carruagem real foi levado pela correnteza e sua perda levou o rei a uma fúria tão violenta que jurou reduzir o rio que havia levado sua comitiva real a uma vazante tão baixa que até as mulheres poderiam caminhar através dele e pisoteá-lo. Ele então devotou todos os recursos de seu exército para este objetivo e permaneceu trabalhando até que, cortando cento e oitenta canais através do leito do rio, dividiu-o em trezentos e sessenta riachos e deixou o leito seco, com as águas fluindo através dos canais. Assim, ele perdeu tempo, que é muito importante nas grandes operações, e perdeu, também, a coragem dos soldados, quebrada por um trabalho inútil, além da oportunidade de cair sobre o inimigo despreparado, enquanto travava contra o rio a guerra que havia declarado contra seus inimigos. Esse frenesi, e por tudo mais você possa chamá-lo, também se abateu sobre os romanos, pois Caio César destruiu uma belíssima vila em Herculano porque sua mãe uma vez foi aprisionada nela e assim tornou o lugar notório por seu infortúnio, pois enquanto ele existia, costumávamos navegar por ali sem perceber, mas agora as pessoas perguntam por que está em ruínas.

22

Estes devem ser considerados como exemplos a serem evitados, e os que estou prestes a relatar, pelo contrário, a serem seguidos, sendo exemplos de conduta gentil e indulgente em homens que tinham motivos de raiva e poder para vingar-se. O que poderia ter sido mais fácil para Antígono do que ordenar a execução daqueles dois soldados comuns que se encostaram na tenda de seu rei enquanto faziam o que todos os homens gostam de fazer, e correram o maior perigo fazendo, quero dizer, enquanto falavam mal de seu rei? Antígono ouviu tudo o que eles disseram, como era provável, uma vez que havia apenas um pedaço de pano entre os falantes e o ouvinte, que o ergueu gentilmente, e disse: "Vão um pouco mais longe, com medo de que o rei ouça vocês." Ele também, uma noite, depois de ter ouvido alguns de seus soldados lançando todo tipo de maldição sobre seu rei, por tê-los levado sobre aquela estrada e para aquela lama intransitável, foi até os que estavam em maiores dificuldades e os libertou, sem que eles soubessem quem os havia libertado, e disse: "Agora, amaldiçoem Antígono, por cuja culpa vocês caíram nesse problema, mas abençoem o homem que os tirou deste lamaçal." Esse mesmo Antígono suportou o abuso de seus inimigos com a mesma naturalidade de seus compatriotas; assim, como se alguns gregos estivessem sitiados em um pequeno forte, e desprezassem seu inimigo por causa da confiança na força de sua posição, ora zombando dele por sua baixa estatura, ora por seu nariz quebrado, ele disse: "Eu me regozijo e espero alguma boa sorte porque tenho Sileno em meu acampamento." Depois de ter conquistado aquele povo espirituoso pela fome, seu tratamento foi o de fazê-los prisioneiros da seguinte maneira: formar regimentos daqueles que eram aptos para o serviço e vender o resto em leilão público; disse ele que nem teria feito isso se não fosse melhor que homens com tais línguas más estivessem sob o controle de um mestre.

{23} O neto desse homem era Alexandre, que costumava arremessar sua lança contra seus convidados, que, dos dois amigos que mencionei acima, expôs um à fúria de uma fera e o outro à sua própria; ainda assim, desses dois homens, aquele que foi exposto ao leão sobreviveu. Ele não derivou esse vício de seu avô, nem mesmo de seu pai; pois era uma virtude especial de Filipe[16] suportar os insultos com paciência e era uma grande salvaguarda de seu reino. Demócares, que recebeu o sobrenome Parrésia por causa de sua língua desenfreada e atrevida, veio em uma embaixada com outros embaixadores de Atenas. Depois de ouvir gentilmente o que eles tinham a dizer, Filipe disse-lhes: "Diga-me, o que posso fazer para agradar aos atenienses?" Demócares respondeu: "Enforque-se." Todos os espectadores expressaram sua indignação diante de uma resposta tão brutal, mas Filipe pediu-lhes que calassem e deixassem esse Tersites partir são e salvo. "Mas vocês", disse ele, "vocês, outros embaixadores, digam aos atenienses que aqueles que dizem tais coisas são muito mais arrogantes do que aqueles que as ouvem sem se vingar." O falecido imperador Augusto também fez e disse muitas coisas memoráveis, que provam que ele não estava sob o domínio da raiva. Timágenes[17], o historiador, fez algumas observações sobre ele, sua esposa e toda a sua família: nem suas piadas caíram por terra, pois nada se espalha mais amplamente ou está mais na boca das pessoas do que uma sagacidade imprudente. César sempre o advertia para ser menos audacioso em suas palavras e, como ele continuava a ofender, proibindo-o de entrar em sua casa. Timágenes depois disso passou os últimos anos de sua vida na convivência com Asínio Polião, e era o favorito de toda a cidade: o fechamento da porta de César não fechava nenhuma outra porta contra ele. Ele leu em voz alta a história que escreveu depois disso, mas queimou os

---

[16] Filipe da Macedônia, pai de Alexandre, o Grande. (N. do. R.)

[17] Timágenes de Alexandria, capturado em 55 a.C. pelos romanos e vendido como escravo em Roma. (N. do. R.)

livros que continham os feitos de César Augusto. Ele estava em inimizade com César, mas ninguém temia ser seu amigo, ninguém se esquivava dele como se tivesse sido atingido por um raio. Embora tivesse sofrido tamanha queda, ainda assim alguém foi encontrado para apará-lo em seu colo. César, digo eu, suportou isso com paciência e nem mesmo se irritou com o fato de o historiador ter posto mãos violentas sobre suas próprias glórias e atos; ele nunca se queixou do homem que deu abrigo ao seu inimigo, mas apenas disse a Asínio Polião: "Você está mantendo uma fera", então, enquanto o outro preparava uma desculpa, ele o interrompeu e disse: "Aproveite, Polião, aproveite sua amizade". Quando Polião respondeu: "Se você me der uma ordem, César, imediatamente proibirei sua entrada em minha casa", ele respondeu: "Você acha que devo fazer isso, quando fui eu que os reconduzi à amizade?", pois anteriormente Polião tinha ficado zangado com Timágenes, e não teve outra razão para deixar de ficar zangado com ele a não ser pelo fato de César também tê-lo feito.

24 Que cada um, então, diga a si mesmo, sempre que for provocado: "Sou eu mais poderoso do que Filipe? No entanto, ele permitiu que um homem o amaldiçoasse impunemente. Tenho mais autoridade em minha própria casa do que o imperador Augusto possuía em todo o mundo? No entanto, ele estava satisfeito em deixar a sociedade daquele que o maldizia. Por que eu deveria fazer meu escravo expiar com chicotadas e algemas por ter me respondido muito alto ou por ter feito uma cara de teimosia, ou murmurado algo que eu não entendi? Quem sou eu, que seja um crime chocar meus ouvidos? Muitos homens perdoaram seus inimigos: não devo perdoar os homens por serem preguiçosos, descuidados e fofoqueiros?" Devemos alegar a idade como desculpa para os filhos, sexo para as mulheres, liberdade para um estranho, familiaridade para um empregado doméstico. Esta é sua primeira ofensa? Pense há quanto tempo ela é aceitável. Ele errou com frequência e em muitos outros casos? Então, continuemos a suportar o que suportamos por tanto tempo. Ele é um amigo? Então, ele não pretendia fazer isso. Ele é um inimigo? Então, ao fazê-lo, cumpriu seu dever. Se for um homem sensato, vamos acreditar em suas desculpas; se for um tolo, vamos conceder-lhe perdão; seja ele o que for, digamos a nós mesmos, em seu nome, que mesmo o mais sábio dos homens muitas vezes é culpado, que ninguém está tão alerta que seu cuidado nunca se trai, que ninguém tem um julgamento tão maduro que sua mente séria não pode ser incitada pelas circunstâncias a alguma ação impetuosa, para que, enfim, ninguém, por mais que tenha medo de ofender, pode ajudar a fazê-lo enquanto busca isto evitar.

25. Como é um consolo para um homem humilde em apuros que os grandes estejam sujeitos a reveses da sorte, tal como o é para um homem que chora mais calmamente por seu filho morto no canto de sua choupana, quando vê um funeral lamentável acontecer também do palácio; assim, suporta-se o ferimento ou o insulto com mais calma se lembrarmos que nenhum poder é tão grande a ponto de estar acima do alcance do dano. Na verdade, se até mesmo o mais sábio errar, quem não pode invocar uma boa desculpa para suas faltas?

Olhemos para trás, para nossa própria juventude e pensemos quantas vezes éramos, então, muito preguiçosos em nosso dever, muito atrevidos em nossas palavras, muito intempestivos em nossas taças. Se alguém está zangado, vamos dar-lhe tempo suficiente para refletir sobre o que fez, e ele se corrigirá. Mas suponha que ele deva pagar a pena por seus atos: bem, essa não é a razão pela qual devemos agir como ele age. Não se pode duvidar de que aquele que despreza seu algoz se destaca acima do rebanho comum e os olha de uma posição mais elevada; é próprio da verdadeira magnanimidade não sentir os golpes que se pode receber. O mesmo acontece com um enorme animal selvagem que se vira lentamente e olha para o maldito que uiva: o mesmo acontece com a onda que se precipita em vão contra um grande penhasco. O homem que não está com raiva permanece inabalável pela injúria; quem está com raiva foi movido por ela. Ele, no entanto, a quem eu descrevi como tendo se colocado muito alto para qualquer mal o alcançar, tem como se fosse o maior bem em seus braços: ele pode responder, não apenas a qualquer homem, mas à própria Fortuna: "Faça o que fizer, você é fraco demais para perturbar minha serenidade; isso é proibido pela razão, a quem confiei a orientação de minha vida: ficar com raiva me faria mais mal do que sua violência pode me fazer. "Mais danos?", você diz. Sim, com certeza: eu sei o quanto você me machucou, mas não posso dizer a que excessos a raiva pode me levar."

26

Você diz: "Não consigo aguentar: os ferimentos são difíceis de suportar". Você mente; pois como pode alguém não ser capaz de suportar o dano, se ele pode suportar a raiva? Além disso, o que você pretende fazer é suportar tanto a mágoa quanto a raiva. Por que você tolera o delírio de um homem doente, ou os delírios de um louco, ou os golpes atrevidos de uma criança? Porque, é claro, eles evidentemente não sabem o que estão fazendo: um homem não é responsável por seus atos, o que importa é a doença que o tornou assim. A alegação de ignorância é igualmente válida em todos os casos. "O que, então?" diz você, "ele não deve ser punido?" Ele o será, mesmo supondo que você não o deseje, pois o maior castigo por ter feito o mal é o sentimento de tê-lo feito, e ninguém é punido mais severamente do que aquele que se entrega ao castigo do remorso. Em seguida, devemos examinar todo o estado da humanidade, a fim de fazer um julgamento justo sobre todas as ocorrências da vida: pois é injusto culpar os indivíduos por um vício que é comum a todos. A cor de um etíope não é notável entre este próprio povo, nem qualquer homem na Germânia se envergonha de ter cabelos ruivos enrolados em um nó[18]. Você não pode chamar nada de peculiar ou vergonhoso em um homem em particular se for a característica geral de sua nação. Agora, os casos que citei são defendidos apenas pelo uso de uma parcela afastada do mundo: veja agora, quão mais merecedores de perdão são aqueles crimes que se espalham por toda a humanidade. Todos nós somos apressados e descuidados, todos nós somos indignos de confiança, insatisfeitos e ambiciosos: por que tento esconder com maldade uma descrição parcial demais? Todos nós somos maus. Cada um de nós, portanto, encontrará em seu próprio peito o vício que culpa

---

[18] Sêneca se refere aqui ao chamado "nó frísio", que os povos ao norte do Reno usavam como penteado típico.

no outro. Por que você observa como esse homem é pálido ou magro? Existe uma pestilência geral. Sejamos, portanto, mais gentis uns com os outros; somos homens maus, vivemos entre homens maus; só há uma coisa que pode nos dar paz: concordar em perdoar uns aos outros. "Este homem já me feriu", diz você, "e eu ainda não o feri". Não, mas provavelmente você feriu outra pessoa ou irá feri-la algum dia. Não faça seu julgamento por uma hora ou um dia: considere toda a inclinação de sua mente: mesmo que você não tenha feito o mal, você é capaz de fazê-lo.

27

Quão melhor é curar uma lesão do que vingá-la? A vingança consome muito tempo e se lança no caminho de muitos ferimentos, enquanto sofre por só um deles. Todos nós retemos nossa raiva por mais tempo do que sentimos nossa mágoa: como seria muito melhor tomar o curso oposto e não somar uma maldade a outra. Alguém pensaria que estava em sua mente perfeita se retribuísse chutes em uma mula ou mordesse um cachorro? "Essas criaturas", você diz, "não sabem que estão agindo errado". Então, em primeiro lugar, que juiz injusto você deve ser se um homem tem menos chance de obter seu perdão do que uma besta! Em segundo lugar, se os animais são protegidos de sua raiva por sua falta de razão, você deve tratar todos os homens tolos da mesma maneira, porque se um homem tem aquela escuridão mental que desculpa todas as más ações dos animais estúpidos, que diferença isso faz se em outros aspectos ele for diferente de um animal estúpido? Ele pecou. Bem, é a primeira vez ou será a última? Ora, você não deve acreditar nele, mesmo que ele diga: "Nunca mais farei isso". Ele pecará, e outro pecará contra ele, e durante toda a sua vida ele chafurdará na maldade. A selvageria deve ser enfrentada com a bondade. Devemos usar, para um homem com raiva, o argumento que é tão eficaz com alguém que está sofrendo, isto é: "Você deixará isto em algum momento, ou nunca? Se você fizer isso em algum momento, quão melhor é você abandonar a raiva do que esperar que ela o abandone? Ou essa agitação nunca o deixará? Você vê a que vida inquieta você se condena? Pois qual será a vida de quem está sempre inchado de raiva?" Acrescente a isso, que depois de você ter se enfurecido, e ter de vez em quando renovado as gruas de sua excitação, sua raiva irá deixá-lo por conta própria, e o tempo irá minar sua força: quanto melhor então é que seja superada por você do que por ela mesma?

28. Se você está zangado, vai discutir primeiro com este homem, e depois com aquele; primeiro com escravos, depois com homens libertos, primeiro com os pais, depois com os filhos, primeiro com conhecidos, depois com estranhos, pois há motivos para ter raiva em todos os casos, a menos que sua mente entre e interceda por você, seu frenesi irá arrastá-lo de um lugar para outro e dali para outro lugar; sua loucura constantemente encontrará mais irritações e nunca se afastará de você. Diga-me, homem miserável, quanto tempo você terá para amar? Oh, que bom tempo você está perdendo com uma coisa má! Seria muito melhor ganhar amigos e desarmar inimigos; servir ao Estado, ou ocupar-se com seus assuntos privados, em vez de procurar saber que mal você pode fazer a alguém,

que ferida você pode infligir à sua posição social, sua fortuna ou sua pessoa, sem que isso seja feito pela luta ou confronto, mesmo que seu antagonista seja inferior a você. Mesmo supondo que ele tenha sido entregue acorrentado e que você tenha a liberdade de torturá-lo o quanto quiser, ainda assim, a violência excessiva ao desferir um golpe muitas vezes nos faz deslocar uma junta ou prender um tendão nos dentes quebrados. A raiva torna muitos homens aleijados, ou inválidos, mesmo quando encontra uma vítima que não resiste e, além disso, nenhuma criatura é tão fraca que possa ser destruída sem qualquer perigo para seu destruidor: às vezes a dor, às vezes o acaso, coloca no mesmo nível o mais fraco e o mais forte. O que podemos dizer do fato de que a maior parte das coisas mais nos enfurecem que nos ferem? Faz uma grande diferença se um homem frustra meus desejos ou simplesmente não consegue realizá-los, se ele me rouba ou não me dá nada: ainda contamos da mesma forma se um homem tira algo de nós ou se recusa a dar algo a nós, quer extinga a nossa esperança ou a adie, quer seja o seu objetivo impedir-nos ou ajudar-se, quer aja por amor a alguém ou por ódio de nós. Alguns homens são obrigados a se opor a nós não apenas com base na justiça, mas também na honra: um está defendendo seu pai, outro seu irmão, outro seu país, outro seu amigo; ainda assim, não perdoamos os homens por fazerem aquilo pelo que devemos culpá-los por não fazer; não, embora dificilmente se possa acreditar, muitas vezes pensamos bem de um ato e mal do homem que o fez. Mas, por Hércules, um grande e justo homem olha com respeito para o mais bravo de seus inimigos e o mais obstinado defensor de sua liberdade e de seu país, e deseja ter um homem assim como seu próprio compatriota e soldado.

29 É vergonhoso odiar aquele a quem você elogia; mas quanto mais vergonhoso é odiar um homem por ser digno de pena? Se um prisioneiro de guerra, que foi repentinamente reduzido à condição de escravo, ainda retém alguns resquícios de liberdade e não corre agilmente para realizar tarefas sujas e trabalhosas, se, tendo ficado preguiçoso por um longo descanso, ele não pôde correr rápido o suficiente para manter o passo com o cavalo ou carruagem de seu mestre, se o sono o domina quando fica cansado por muitos dias e noites de vigia, se ele se recusa a realizar trabalhos agrícolas, ou não o faz com entusiasmo quando afastado da ociosidade do serviço da cidade e posto ao trabalho forçado, devemos fazer uma distinção e ver se um homem não pode ou não quer fazê-lo: perdoaremos muitos escravos, se começarmos a julgá-los antes de nos irritar com eles; como, porém, obedecemos nosso primeiro impulso e, então, embora possamos provar que ficamos excitados com meras ninharias, ainda assim continuamos a ficar com raiva, para não parecer que ficamos com raiva sem motivo; e o mais injusto de tudo: a injustiça de nossa raiva nos faz persistir ainda mais, pois nós a alimentamos e a inflamamos, como se o fato de estarmos violentamente zangados provasse que nossa raiva é justa.

30 Quão melhor é observar quão insignificantes e inofensivos são os primeiros impulsos da raiva? Você verá que os homens estão sujeitos às mesmas influências que os animais mudos: somos prejudicados por ninharias e questões fúteis. Os touros ficam excitados com a cor vermelha, a serpente levanta a cabeça para uma sombra, os ursos ou leões ficam irritados com o sacudir de um pano, e todas as criaturas naturalmente ferozes

e selvagens se assustam com ninharias. A mesma coisa acontece com os homens de disposição inquieta e preguiçosa; eles são tomados por suspeitas, às vezes a tal ponto que chamam de ferimentos os benefícios leves, e estes constituem a matéria mais comum e certamente a mais amarga para a raiva, pois ficamos com raiva de nossos amigos mais queridos por terem nos dado menos do que esperávamos, e menos do que outros receberam deles. Ainda assim, há um remédio disponível para ambas as queixas. Ele favoreceu nosso rival mais do que a nós? Então, vamos aproveitar o que temos sem fazer nenhuma comparação. Um homem para quem é uma tortura ver alguém melhor do que ele nunca estará bem. Tenho menos do que esperava? Bem, talvez eu esperasse mais do que deveria. É contra isso que devemos estar especialmente em guarda: daí surge a raiva mais destrutiva, que não poupa nada, nem mesmo o que houver de mais sagrado. O imperador Júlio não foi apunhalado por tantos inimigos, mas por amigos cujas esperanças insaciáveis ele não havia satisfeito. Ele estava bastante disposto a fazê-lo, pois ninguém jamais fez uso mais generoso da vitória, de cujos frutos nada guardou para si, exceto o poder de distribuí-los; mas como ele poderia saciar tais apetites inescrupulosos, quando cada homem cobiçava tanto quanto qualquer um poderia possuir? Foi por isso que ele viu seus companheiros soldados em pé ao redor de sua cadeira com as espadas desembainhadas, Tílio Cimbro[19], que pouco antes havia sido o mais acérrimo defensor de seu partido, e outros que apenas se tornaram pompeanos depois que Pompeu estava morto. Foi isso que virou os braços dos reis contra eles, e fez seus seguidores mais confiáveis meditarem na morte daquele por quem e diante de quem eles teriam gostado de morrer.

---

[19] Lúcio Tílio Cimbro, senador romano, morto em 42 a.C.

{31} Nenhum homem se contenta com a sua sorte se fixa a atenção na de outrem, e isso nos leva a ficar com raiva até dos deuses, porque alguém nos precede, embora nos esqueçamos de quantos homens ficaram para trás e de como um homem que inveja poucas pessoas é seguido por uma multidão de pessoas que o invejam. No entanto, é tão grosseira a natureza humana que, por mais que os homens possam ter recebido, eles se julgam injustiçados se puderem receber ainda mais. "Ele me deu a pretura. Sim, mas esperava o consulado. Ele concedeu-me os doze machados, é verdade, mas não me tornou cônsul regular. Ele permitiu que eu desse meu nome ao ano, mas não me ajudou a obter o sacerdócio. Fui eleito membro do colégio, mas por que apenas um? Ele concedeu-me todas as honras que o Estado oferece; sim, mas não acrescentou nada à minha fortuna particular. O que ele me deu, foi obrigado a dar a alguém; não tirou nada do próprio bolso." Em vez de falar assim, agradeça-lhe o que recebeu; aguarde o resto e agradeça por ainda não estar repleto de modo que pode conter mais: é um prazer ter algo a esperar. Você é o preferido de todos? Então, alegre-se por ocupar o primeiro lugar nos pensamentos de seu amigo. Ou muitos outros são preferidos antes de você? Então pense quantos mais estão abaixo de você e não acima. Você pergunta, qual é o seu maior defeito? É que você mantém suas contas erroneamente: atribui um valor alto ao que dá e um valor baixo ao que recebe.

{32} Deixe que qualidades diferentes em pessoas diferentes nos impeçam de brigar com elas. Vamos ter medo de ficar com raiva de alguns, sentir vergonha de estar com raiva de outros e desdenhar de ficar com raiva de outros mais. Fazemos muito bem, de fato, quando enviamos um miserável escravo para o calabouço! Por que temos tanta pressa em açoitá-lo imediatamente, em quebrar suas pernas de imediato? Não perderemos nosso alardeado poder se adiarmos seu exercício. Vamos esperar a hora em que possamos dar ordens; no momento, falamos constrangidos pela raiva. Quando ela passar, veremos que quantidade de dano foi feito; pois é sobre isso que estamos especialmente sujeitos a cometer erros: usamos a espada e a pena capital e designamos correntes, prisão e fome para punir um crime que merece apenas ser castigado com um ligeiro açoite. "De que maneira", você diz, "você nos pede que olhemos para aquelas coisas pelas quais nos julgamos feridos, para que possamos perceber o quão mesquinhas, lamentáveis e infantis elas são?" Em nada mais eu poderia persuadi-los senão a tomar para si um espírito magnânimo e ver como são baixos e sórdidos todos esses assuntos sobre os quais disputamos e corremos de um lado para o outro até ficarmos sem fôlego; os quais não devem ser dignos da atenção daqueles cujo pensamento é elevado e magnífico.

33 O maior alvoroço é sobre dinheiro: este é o que cansa os tribunais, semeia contendas entre pai e filho, prepara venenos e dá espadas tanto a assassinos quanto a soldados. Está manchado com o nosso sangue; por sua causa, maridos e esposas discutem a noite toda, multidões se aglomeram ao redor do banco de magistrados, reis se enfurecem, saqueiam e destroem comunidades que custaram o trabalho de séculos para serem construídas, para que eles possam buscar ouro e prata nas cinzas de suas cidades. Você gosta de

olhar para seus sacos de dinheiro jogados no canto? É por eles que os homens gritam até que seus olhos saltem de suas cabeças, que os tribunais ressoam com o barulho dos julgamentos e que jurados trazidos de grandes distâncias se sentam para decidir qual cobiça do homem é mais justa. O que diremos se não for nem por um saco de dinheiro, mas por um punhado de cobre ou um sestércio arrecadado por um escravo, que algum velho, que logo morrerá sem herdeiros, explode de raiva? E se for um credor inválido cujos pés estão deformados pela gota e que não pode mais usar as mãos para contar, que cobra seus juros de um milésimo por mês e com fiança exige seus vinténs ainda durante os acessos de sua doença? Se você trouxesse o dinheiro de todas as nossas minas, que neste momento estamos escavando, se você trouxesse esta noite tudo o que está escondido em tesouros, já que a avareza devolve à terra o que dela extraiu – todo esse acúmulo que eu não consideraria digno de causar uma ruga na testa de um bom homem. Que ridículas são essas coisas que nos trazem lágrimas aos olhos!

34 Venha agora, vamos enumerar as outras causas da raiva: eles são comida, bebida e os aparatos vistosos ligados a elas, palavras, insultos, movimentos desrespeitosos do corpo, suspeitas, gado obstinado, escravos preguiçosos e interpretações maldosas postas nas palavras de outros homens, de modo que até mesmo o dom da linguagem para a humanidade passa a ser contabilizado entre os erros da natureza. Acredite em mim, as coisas que nos causam tanto calor são ninharias, o tipo de coisas pelas quais as crianças brigam e disputam. Não há nada de sério, nada de importante em tudo o que fazemos com rostos tão sombrios. É, repito, atribuir um grande valor às ninharias a causa de sua raiva e loucura. Este homem queria roubar a minha herança, aquele que apresentou uma acusação contra mim perante pessoas que há muito tempo eu cortejava com grandes expectativas, aquele que cobiçava a minha amante. O desejo pelas mesmas coisas, que deveria ser um vínculo de amizade, torna-se fonte de brigas e ódio. Um caminho estreito causa brigas entre aqueles que o percorrem; uma estrada larga e longa pode ser usada por tribos inteiras sem disputas. Esses objetos de seu desejo causam contendas e disputas entre aqueles que ambicionam as mesmas coisas, porque são mesquinhos e não podem ser dados a um homem sem serem tirados de outro.

35 Você está indignado porque seu escravo, seu liberto, sua esposa ou seu cliente lhe responderam; e então você se queixa de o Estado ter perdido a liberdade que você destruiu em sua própria casa. Então, novamente, se quem você questiona fica em silêncio, chama isto de obstinação taciturna. Deixe-o falar, ficar em silêncio e rir também. "Na presença de seu mestre?" você pergunta. Não, diga: "Na presença do pai de família". Por que você grita? Por que você faz uma tempestade? Por que você, no meio do jantar, pede um chicote quando os escravos estão falando, será que é porque uma multidão tão grande não é tão silenciosa quanto um deserto? Você tem ouvidos, não apenas para ouvir sons musicais, suave e docemente prolongados e harmonizados; você deve ouvir risos e choro, persuasões e brigas, alegria e tristeza, a voz humana e o rugido e latidos dos animais. Miserável! Por que você estremece com o barulho de um escravo, com o barulho de latão ou o bater de uma porta? Você não pode deixar de ouvir o trovão, por mais refinado que seja. Você pode aplicar essas observações sobre seus ouvidos com igual verdade aos seus olhos, que não sofrem menos repugnância se foram mal-educados: eles ficam chocados com as manchas e sujeira, com a placa de prata que não é suficientemente brilhante, ou com um tanque cuja água não é completamente clara até o fundo. Aqueles mesmos olhos que só suportam ver o mármore mais variegado e que que acaba de ser lustrado, que não olharão para nenhuma mesa cuja madeira não esteja marcada com uma rede de veios e que em casa relutam em pisar em qualquer coisa que não é mais preciosa do que ouro, quando fora, contamplam com mais calma os caminhos ásperos e lamacentos, verão impassíveis que o maior número de pessoas que os encontram estão malvestidas e que as paredes das casas estão podres, cheias de rachaduras e irregulares. Qual, então, pode ser a razão de eles não ficarem angustiados fora de casa por visões que os chocariam em sua própria casa, a menos que seu temperamento seja plácido e paciente em um caso e mal-humorado e crítico em outro?

{36} Todos os nossos sentidos devem ser educados para a força: eles são naturalmente capazes de suportar muito, desde que o espírito se abstenha de estragá-los. O espírito deve ser examinado diariamente. Era o costume de Sexto, quando o dia terminava e ele se preparava para descansar, perguntar ao seu espírito: "Quais dos seus mau hábitos você já curou hoje? Que vício você verificou? Em que você está melhor?" A raiva cessará e se tornará mais branda, se souber que todos os dias terá de comparecer ao tribunal.

O que pode ser mais admirável do que essa maneira de discutir todos os eventos do dia? Quão doce é o sono que se segue a este autoexame? Quão calmo, quão correto e descuidado é quando nosso espírito recebeu elogios ou reprimendas, e quando nosso inquisidor e censor secreto fez seu relatório sobre nossa moral? Eu faço uso deste privilégio e diariamente defendo minha causa perante mim mesmo: quando a lâmpada é tirada de minha vista, e minha esposa, que conhece meu hábito, parou de falar, repasso o dia inteiro em revisão diante de mim e repito tudo o que eu disse e fiz: não escondo nada de mim mesmo, e não omito nada: por que eu deveria ter medo de qualquer uma das minhas deficiências, quando está em meu poder dizer: "Eu te perdoo desta vez, desde que você nunca mais faça isto? Nesta disputa você falou de modo muito combativo; não discuta pelo futuro com pessoas ignorantes: aqueles que nunca foram ensinados não estão dispostos a aprender. Você repreendeu aquele homem com mais liberdade do que deveria e, consequentemente, o ofendeu em vez de corrigir seus modos. Ao lidar com outros casos semelhantes, você deve olhar com cuidado, não apenas para a verdade do que diz, mas também se a pessoa com quem fala pode suportar que lhe digam a verdade." Um bom homem gosta de receber conselhos: todos os piores homens são os mais impacientes de orientação.

37 À mesa do jantar, algumas piadas e dizeres com o objetivo de lhe causar dor foram dirigidos contra você: evite banquetear com pessoas baixas. Aqueles que não são modestos, mesmo quando sóbrios, tornam-se muito mais imprudentes depois de beber. Você viu seu amigo furioso com o porteiro de algum jurista ou de um homem rico, porque ele o mandou de volta quando estava para entrar, e você mesmo, em nome de seu amigo, ficou furioso com o mais mesquinho dos escravos. Você ficaria com raiva de um cão doméstico acorrentado? Ora, até ele, depois de um longo latido, torna-se gentil se você lhe oferece comida. Portanto, recue e sorria; de momento, o seu porteiro imagina ser alguém, porque guarda uma porta que é cercada por uma multidão de litigantes; por enquanto, aquele que se senta lá dentro é próspero, feliz e pensa que uma porta de rua pela qual é difícil entrar é a marca de um homem rico e poderoso; ele não sabe que a porta mais difícil de abrir é a da prisão. Esteja preparado para se submeter a muito. Alguém fica surpreso com o frio no inverno? Por ficar enjoado em viagem pelo mar? Ou sendo empurrado na rua? A mente é forte o suficiente para suportar os males para os quais está preparada. Quando não lhe é dado um lugar suficientemente distinto à mesa, você começa a ficar zangado com os outros convidados, com o seu anfitrião e com aquele que é preferido acima de você. Idiota! Que diferença pode fazer em que parte do divã você se deita? Uma almofada pode dar-lhe honra ou desonrá-lo? Você olhou de soslaio para alguém, porque ele falou levianamente sobre seus talentos; você aplicará esta regra a você mesmo? Nesse caso, Ênio, cuja poesia você não gosta, teria odiado você. Hortênsio, se você tivesse criticado seus discursos, teria brigado com você, e Cícero, se você tivesse rido de sua poesia, teria sido seu inimigo. Se candidato a um cargo, você se ressentirá dos votos dos homens?

38

Alguém o insultou? Provavelmente não foi um insulto maior do que o oferecido ao filósofo estoico Diógenes, em cujo rosto um jovem insolente cuspiu bem quando estava fazendo um sermão sobre a raiva. Ele aguentou com moderação e sabedoria. "Não estou zangado", disse ele, "mas não tenho certeza de que não devo me zangar". No entanto, quão melhor nosso Catão se comportou? Enquanto defendia uma causa, o bem conhecido Lêntulo, de quem nossos pais se lembram por ser um demagogo e descontrolado, cuspiu na sua cara com toda a fleuma que conseguiu reunir. Catão enxugou o rosto e disse: "Lêntulo, devo declarar a todo o mundo que os homens estão enganados quando dizem que você está querendo ser descarado".

39

Agora conseguimos, meu Novato, regular adequadamente nossas próprias mentes: ou elas não sentem raiva ou estão acima dela. Vamos ver a seguir como podemos acalmar a ira dos outros, pois não queremos apenas ser sãos, mas curar. Você não deve tentar acalmar a primeira explosão de raiva com palavras: ela é surda e frenética. Devemos dar-lhe espaço; nossos remédios só serão eficazes quando ela diminuir. Não nos metemos nos olhos dos homens quando estão inchados, porque só devemos irritar a sua rigidez ao tocá-los, nem tentamos curar outras doenças no seu ápice: o melhor tratamento na primeira fase da doença é o repouso. "De quão pouco valor", você diz, "é o seu remédio, apaziguar a raiva que está diminuindo por conta própria?" Em primeiro lugar, eu respondo, faz com que termine mais rápido; em seguida, evita uma recaída. Pode tornar inofensivo até o impulso violento que não ousa apaziguar; vai tirar do caminho todas as armas que possam ser usadas para vingança; vai fingir que está com raiva, para que seu conselho tenha mais peso como vindo de um assistente e camarada de luto. Inventará atrasos e adiará o castigo imediato enquanto se busca um maior; utilizará todos os artifícios para dar ao homem uma trégua de seu frenesi. Se a sua raiva for invulgarmente forte, irá inspirá-lo com algum sentimento irresistível de vergonha ou de medo; se for fraca, fará uso de conversas sobre assuntos divertidos ou novos e, jogando com a sua curiosidade, o levará a esquecer a sua paixão. Somos informados de que um médico, que foi forçado a curar a filha do rei, e não podia fazê-lo sem usar a faca, levou uma lanceta a seu peito inchado escondida sob a esponja com a qual ele a manuseava. A mesma menina, que teria se encolhido com o remédio se ele o tivesse aplicado abertamente, suportou a dor porque não esperava a lanceta. Não se curam certas doenças senão por meio do engano.

40 Para uma classe de homens você dirá: "Cuidado para que sua raiva não dê prazer aos seus inimigos"; para a outra: "Cuidado para que sua grandeza de espírito e a reputação de força que ela carrega entre a maioria das pessoas não sejam prejudicadas. Eu mesmo, por Hércules, estou escandalizado com seu tratamento e luto além da medida, mas devemos esperar por uma oportunidade adequada. Ele deve pagar pelo que fez; esteja bem certo disso: quando você puder, você deve devolver-lhe com juros." Reprovar um homem quando ele está com raiva é aumentar sua raiva por estar com raiva de si mesmo. Você deve abordá-lo de formas diferentes e de maneira complacente, a menos que porventura seja um personagem tão grande que possa reprimir sua raiva, como fez o imperador Augusto quando jantava com Públio Védio Polião. Um dos escravos quebrou uma taça de cristal dele. Védio ordenou que ele fosse levado para morrer, e isso também de maneira nada comum: ele ordenou que ele fosse jogado para alimentar as moreias, algumas das quais de grande tamanho, que ele mantinha em um tanque. Quem não pensaria que ele fez isso por luxo? Mas foi por crueldade. O menino escorregou das mãos daqueles que tentaram agarrá-lo e se jogou aos pés de César para implorar por nada mais do que morrer de uma maneira diferente, e não ser comido. César ficou chocado com essa nova forma de crueldade e ordenou que ele fosse solto e, em seu lugar, todos os utensílios de cristal que viu diante dele fossem quebradas e jogadas no tanque. Essa foi a maneira correta de César reprovar seu amigo: ele fez bom uso de seu poder. O que é você, que quando no jantar ordena aos homens que sejam condenados à morte e mutilados por uma forma de tortura inédita? As entranhas de um homem devem ser rasgadas porque sua xícara foi quebrada? Você deve pensar muito sobre si mesmo, se mesmo quando o imperador está presente você ordena que os homens sejam executados.

41

Se o poder de alguém é tão grande que pode tratar a raiva com o tom de um superior, deixe-o destruí-la, mas apenas se for do tipo de que acabei de falar, feroz, desumano, sanguinário e incurável, exceto pelo medo de algo mais poderoso do que ela mesma... vamos dar à mente aquela paz que é dada pela meditação constante sobre máximas saudáveis, por boas ações e por uma mente voltada apenas para a busca da honra. Coloquemos nossa própria consciência em paz, mas não façamos nenhum esforço para ganhar crédito para nós mesmos. Enquanto nós merecemos o bem, estejamos satisfeitos, mesmo que sejamos mal falados. "Mas o rebanho comum admira ações espirituosas, e homens corajosos são considerados honrados, enquanto os quietos são considerados indolentes". É verdade, à primeira vista eles podem parecer como tal, mas assim que o tom uniforme de sua vida prova que essa quietude surge não do entorpecimento, mas da paz de espírito, a mesma multidão as respeita e reverencia. Não há, então, nada de útil nessa paixão hedionda e destrutiva da raiva, mas, ao contrário, todo tipo de mal, fogo e espada. A raiva atropela o autodomínio sob os pés, mergulha suas mãos na matança, espalha os membros de seus filhos: ela não deixa nenhum lugar imaculado pelo crime, não tem pensamentos de glória, nenhum medo de desgraça, e quando uma vez a raiva se endureceu em ódio, nenhuma alteração é possível.

42 Vamos nos livrar desse mal, vamos limpar nossas mentes dele, extirpar a raiz e ramificar uma paixão que cresce novamente onde quer que a menor partícula dela encontre um lugar de descanso. Não moderemos a raiva, mas nos livremos dela de uma vez. O que a moderação pode ter a ver com um mau hábito? Teremos sucesso em fazer isso, se apenas nos esforçarmos. Nada será mais útil do que ter em mente que somos mortais; que cada homem diga a si mesmo e ao seu próximo: "Por que deveríamos nós, como se tivéssemos nascido para viver para sempre, desperdiçar nosso ínfimo período de vida declarando raiva contra qualquer um? Por que deveriam os dias, que poderíamos passar em gozo honroso, ser mal aplicados no luto e na tortura de outras pessoas? A vida é uma questão que não admite desperdício e não temos tempo para jogar fora. Por que entramos na briga? Por que saímos de nosso caminho para buscar disputas? Por que nós, esquecidos da fraqueza de nossa natureza, empreendemos feudos poderosos e, embora frágeis, reunimos todas as nossas forças para destruir outros homens? Em pouco tempo, a febre ou qualquer outra enfermidade corporal nos tornará incapazes de continuar esta guerra de ódio que tão implacavelmente travamos; a morte logo separará a dupla mais vigorosa de combatentes. Por que causamos distúrbios e passamos nossas vidas em tumultos? Ele conta os dias que se passam e chega cada vez mais perto de nós. O tempo que você marcou para a morte de outra pessoa talvez inclua o seu próprio."

{43}

Em vez de agir assim, por que você não prefere reunir o que resta de sua curta vida e mantê-la em paz para os outros e para você? Por que não ser amado por todos enquanto viver e saudoso quando tiver falecido? Por que você deseja domar o orgulho daquele homem que tem um tom muito altivo para com você? Por que você tenta com todas as suas forças esmagar aquele outro que estala e range os dentes para você, um miserável baixo e desprezível, mas rancoroso e ofensivo para com seus superiores? Mestre, por que você está com raiva de seu escravo? Escravo, por que você está com raiva de seu mestre? Cliente, por que você está zangado com seu patrono? Patrono, por que você está zangado com seu cliente? Espere um pouco. Veja, aí vem a morte, que fará de vocês todos iguais. Muitas vezes vemos em uma apresentação matinal na arena uma batalha entre um touro e um urso, amarrados juntos, na qual o vencedor, após ter feito o outro em pedaços, é ele mesmo morto. Nós fazemos exatamente a mesma coisa: preocupamos alguém que está ligado a nós, embora o fim tanto do vencedor quanto do vencido esteja próximo, e isso em breve. Em vez disso, deixemos passar o pequeno resto de nossas vidas em paz e sossego: que ninguém nos deteste quando estivermos mortos. Uma briga costuma ser encerrada com um grito de "Fogo!" na vizinhança, e a aparência de uma fera separa o ladrão de estrada do viajante: os homens não têm tempo para lutar contra males menores quando ameaçados por algum terror avassalador. O que temos a ver com combates e emboscadas? Você deseja que algo mais do que a morte aconteça àquele com quem você está zangado? Bem, mesmo que você fique quieto, ele com certeza morrerá. Você desperdiça suas dores: você quer fazer o que certamente será feito. Você diz: "Não desejo necessariamente matá-lo, mas puni--lo com o exílio, ou desgraça pública, ou perda de propriedade". Posso perdoar mais facilmente quem fere fisicamente seu inimigo do que aquele que lhe toma os bens, a honra e o exílio, pois este último não é apenas mal, mas mesquinho. Esteja você pensando em punições extremas ou mais leves, quão curto é o tempo durante o qual sua vítima é torturada ou você desfruta de um prazer maligno na dor de outra pessoa? Este sopro que tanto temos carinho nos deixará em breve; entretanto, enquanto o aspiramos, enquanto vivemos entre os seres humanos, pratiquemos a humanidade: não sejamos terror nem perigo para ninguém. Vamos manter a calma apesar das perdas, injustiças, abusos ou sarcasmo, e suportemos com magnanimidade nossos problemas de curta duração, pois, enquanto olhamos para trás e nos viramos de volta, a morte já cai sobre nós.

CONFIRA NOSSOS
LANÇAMENTOS AQUI!

Camelot
EDITORA

@ CamelotEditora